戦争論　目次

第一章　二つの戦争のはざまで　『同志少女よ、敵を撃て』とウクライナ戦争　7

第二章　「半人間」たちの復讐　巨人たちは屍の街を進撃するか？　61

装幀　水戸部 功

戦争論

第一章　二つの戦争のはざまで『同志少女よ、敵を撃て』とウクライナ戦争

顔をあげて、遠くを見つめてみる。松明(たいまつ)の炎、人のいない田園、略奪された村が見える。残忍な人たちよ、この不運な人たちをどこへ連れていこうというのか。恐ろしい物音が聞こえる。なんという喧騒、なんという叫び声。虐殺の現場を、一万もの人々が喉を掻き切られているのを見る。引き裂かれた死者たちが積み重ねられ、息絶え絶えの人たちを馬で踏みつぶしている。そう、これが平和な制度とやらの果実である。心の底から、憐れみの情と憤りがこみあげてくる。ああ、野蛮な哲学者よ、戦場に来て、己の本を読み聞かせてみるがよい。

ルソー「戦争法原理」

1　戦争をめぐる奇妙な風景

それは、当惑させられる光景だった。

二〇二二年五月なかばのことだ。出張に赴いた名古屋駅の新幹線ホームのキヨスクの本棚に、「本屋大賞受賞」の太帯をまわした『同志少女よ、敵を撃て』が面陳されていた。そして、雪原に伏せて狙撃スコープを覗(のぞ)きこむ美少女を大写しにしたカバーイラストのすぐ下のラックには、「マリウポリ陥落」を一面で報じる新聞の束が突き刺さっていた。

戦争をめぐる奇妙な風景がここにはある。日本はもちろん、欧米をはじめ世界中の国々が、国連の常任理事国であり世界最多の核弾頭を保有する大国ロシアの、国際秩序をあからさまに踏み躙る侵略戦争を口をきわめて非難している、まさにちょうどそのときに、八十年前に同じ地域で戦われ、三千万人とも四千万人ともいわれる膨大な人々を非業の死に追いやった独ソの絶滅戦争をテーマとした小説が、「いちばん！　売りたい本」として日本全国の書店員の支持を集め、駅のキヨスクで面陳され、数十万部という爆発的な売れ行きを誇っている。私たちは、リアルな戦争に全員一致で反対しつつも、同時にフィクションの戦争を嬉々として消費している。『同志少女よ、敵を撃て』が、以下で検討するように非常に巧みに書かれた作品であることはもちろん認めよう。しかし作品発表から間をおかずに勃発したウクライナ戦争の惨劇がこの戦争小説の売れ行きを強く煽った事実を、私たちはどうとらえるべきなのだろうか？

ここに矛盾などない。そういう見方もあるだろう。虚構と現実はそもそも次元がちがう。戦争小説にいくら多くの人々が読み耽ろうが、そのことによって橋やビルが破壊され、無辜の市民が虐殺されることはないのだから。娯楽の対象であるエンタメと、シリアスな政治はまったく別物なのだから。――あるいは、戦争小説は反戦小説にもなりうる、すなわち戦争の悲惨さを強調するフィクションは、リアルな戦争に反対する踏み台ともなりうるという積極性を、この事態に読みこもうとする態度もあるだろう。じっさい作者の逢坂冬馬は、二月二十四日のロシア軍によるウクライナ侵攻から一ヵ月半後の本屋大賞受賞スピーチで、プーチンの暴挙を強く非難する一方、ロシア国内で身の危険をかえりみず戦争反対の声をあげる人たちへの連帯を表明し、そのうえで「私の描いた主人公セラフィマがこのロシアを見たならば、悲しみはしてもおそらく絶望はしないのだと思います。彼女はただ一人、あるいは傍らにいる誰かと町に出て、自分が必要とされていると思ったことをするのだと思います」と、自作に反戦の契機を読みこんでいる。じっさい『同志少女よ、敵を撃て』は戦争の悲惨さ、不条理さ、残酷さをリアルに活写し、それに翻弄される主人公たちの揺れ動く内面を緻密に追うことを通じて、戦争を批判する視点を作中に確保している。その意味で逢坂の言葉は、我田引水のたぐいではまったくない。

だが、秘められた反戦の主張が、この作品が爆発的に売れた理由でないことはあきらかだ。私たちはそこに描かれた戦争にこそ魅了されたのだ。ドイツ軍に母を殺され、村の隣人たちを虐殺されて天涯孤独の身となった主人公セラフィマをはじめとする少女たちが、眉間や腹部を撃ちぬいて敵を殺す狙撃兵として死の荒野を駆けぬけるさまに、私たちは心をわくわくと躍らせたのだ。スターリンが戦後に核戦争になぞらえたという彼とヒトラーの戦争を描いた小説を、私たちは楽しみつつ消費している。その一方で、私たちは口をきわめてプーチンの戦争を非難し、戦禍にいま現に曝(さら)されているウクライナ市民の状況をリアルタイムで送信するＳＮＳの映像や、ドローンや人工衛星が見おろす戦地の荒廃に、日々同情と悲嘆の声をあげている。

重要なのは、戦争をめぐるこうした奇妙な風景は、いまにはじまった話ではないということだ。第二次世界大戦の敗戦後、日本は恒久平和の念願を掲げた前文と戦争放棄をさだめた第九条をもつ憲法を戴(いただ)いた「平和国家」として、あらゆる戦争に反対の立場を――いまや平和憲法と第九条は風前の灯火だが――とってきた。その一方で、戦争の惨禍を直接には知らない世代がクリエイティヴなシーンの中心に進出しはじめた一九七〇年代前後から、私たちの文化的環境は壮烈な戦争の表象で文字どおりうめつくされている。『宇宙戦艦ヤマト』『機動戦士ガンダム』『新世紀エヴァンゲリオン』などのブロックバスター・アニメシリーズ、『仮面ライダー』『ウルトラマン』『スーパー戦隊シリーズ』といったヒーローもの、いまや日本の共通文化の観もある宮崎駿の『風の谷のナウシカ』や『もののけ姫』や『風立ちぬ』、一九八八年より青年誌に連載され後にアニメ化／実写映画化された『寄生獣』から、『進撃の巨人』『鬼滅の刃』『約束のネバーランド』『呪術廻戦』『怪獣8号』といった近年のメガヒットコミック群、文庫版の売上げが五百万部に迫る『永遠の0（ゼロ）』をはじめぞくぞくと書きつがれる特攻小説たち、……まさに枚挙にいとまがない。

つまり、こういうことだ。私たちは戦争が大嫌いだ。だが同時に、私たちは戦争が好きでたまらない。私たちは戦争まみれになりながら戦争を罵っている。全面的に放棄したはずの戦争を、私たちは飽きることなく貪り喰らっているのだ。たしかに、虚構と現実は次元を異にするのかもしれない。しかし虚構（フェイク）と現実（トゥルース）が明確に切り分けられると信じることは、とりわけ現在のポストトゥルース社会／ポスト情報化社会のなかで無邪気にそう信じこむのは、あまりに子どもっぽい態度ではなかろうか？　エンタメと政治は別物だ。そううそぶこうにも、もはや政治が娯楽（エンタメ）化して久しい事実――「アメリカを再び偉大に！（メイク・アメリカ・グレート・アゲイン）」と「海賊王におれはなる！（アイム・ゴナ・ビカム・パイレート・キング）」という雄叫びのどこにちがいがあるのだろう――から眼をそむけることはできまい。大岡昇平は「戦争を知らない人間は、半分は子供である」（『野火』）と啖呵を切った。「半分は子供」という批判は、戦争の表象をほしいままに弄（もてあそ）びながら、ウクライナの国土を焼き尽くす戦争を声高に非難する私たちのアンビギュイティを射貫（いぬ）いたものだとはいえないか？

フロイトは、受けいれ難いことを突きつけられたとき、たとえ明白な事実であっても自我はそれを「否認」するという心的な防衛機制を見出した。そもそも中国やロシアといった権威主義国家の帝国的な拡大志向があらわになった二十一世紀の国際情勢にあって、むしろ戦争の可能性こそがリアルであり、自律的な安全保障戦略なしにひたすら平和を讃美しようとする姿勢こそがフィクションだった。その危険な現状を「否認」したいという欲望が、フィクションの戦争を代償的に享楽しつつリアルな戦争からは眼をそむけるという倒錯を私たちに強いてきたのだろうか？ウクライナ戦争はそうした「否認」がもはや維持しえないことを私たちに突きつけているのだろうか？

だが、もしそうだとして、いままで私たちの思考と想像力をフレーミングしてきた戦争にたいするアンビギュイティが、なにを隠蔽し抑圧してきたのかをしっかり見てとることなしに、敵基地攻撃能力やミサイル迎撃システムや空母保有や防衛予算倍増やアメリカとの核共有（シェア）などといったお題目にむやみに飛びつくことのリスクには自覚的でなければなるまい。抑圧されていた不気味なものは必ず回帰する。このフロイトの警告を未来に活かすためには、私たちがリアルとフィクションのはざまに抑圧してきた不気味なものとはいったいなんなのか、まずはそれを見ぬかねばならない。
ウクライナ戦争に眼を凝らそう。そしてそのリアルを、『同志少女よ、敵を撃て』が描きだす戦争と突きあわせてみよう。

2　双子の戦争――独ソ戦とウクライナ戦争

第二次世界大戦における独ソ戦と、ロシア軍がウクライナに侵攻した今回の戦争は、いくつかの見逃せないねじれをはらみつつも、八十年の時を隔てて生まれた双子のようによく似ている。こういってもよい。プーチンはヒトラーの戦争に抗うという名目で、ヒトラーの戦争を反復しているのだ。

まず両者は、帝国崩壊が生みだした帝国主義戦争という歴史的コンテクストを共有している。第一次世界大戦の戦後処理で、かつてのドイツ帝国の版図を削りとられたワイマール共和国は、国境の外に一千万を超える「民族ドイツ人（フォルクスドイチェ）」が散在するという事態を甘受しなければならなかった。国家はひとつの有機体にほかならず、民族同胞（フォルクスゲノッセン）はその身体を構成する細胞としてこぞって国家に奉仕すべきだというイデオロギーに凝り固まったヒトラーは、異国で迫害されている「民族ドイツ人」を救出し大ドイツに統合するという旗印のもと、オーストリアの併合(アンシュルス)やチェコスロヴァキアの解体やポーランドの破壊を押しすすめた。

一方、ソ連崩壊を「二十世紀最大の地政学的悲劇」と呼ぶプーチンは、二千六百万ともいわれるロシア系住民がロシア連邦の国境外に取り残されてしまったことを嘆く。軍事研究家の小泉悠は『「帝国」ロシアの地政学 「勢力圏」で読むユーラシア戦略』(東京堂出版)で、ナチスが依拠した大陸系地政学と現在のロシア流地政学との近さを指摘したうえで、現代ロシア史研究者ジェラルド・トールの「ワイマール・ロシア」という印象的なフレーズを引用している。「ワイマール・ロシア」とは、国境線とエスニックグループの分布にズレが生じ、それが独特の地政学的思考と結びついたという点において、第一次大戦後のドイツとソ連崩壊後のロシアを重ね見る概念である。

ホロコースト研究で有名なティモシー・スナイダーもこう指摘する(『自由なき世界』慶應義塾大学出版会)。ネオナチに迫害されている民族ロシア人の救出という名目で開始された二〇一四年のウクライナ侵攻を正当化するロシア外相ラヴロフの、「自国の文化に属すると認めた者は誰であれ、国家がそれを守るために介入してよい」という原則は、ヒトラーがオーストリアとチェコスロヴァキアとポーランドを併呑するために濫用したロジックにほかならない。二人の独裁者はこうした独善的な自己正当化のもとで、ヨーロッパの内部に自国の植民地を拡大しようとくわだてたのだ。スナイダーは、プーチンとその側近たちに蔓延するこうしたナチス的な思考回路を

「スキゾファシズム」と呼んで詳しく分析している。「大祖国戦争」を永遠に讃えるべき聖戦として顕彰したブレジネフ時代以来、「ファシズム」は政治体制の一種ではなく、端的に「反ロシア主義」を意味するようになった。したがって、ナチスの思想を換骨奪胎したロシアのファシストが、自らの敵を「ファシスト」と呼びつつ、ファシストの語彙でロシアのファシスト的な勝利を祝うという「スキゾ」な現象が生じることとなった。スナイダーはまた、ナチスとの共通点として現代ロシアの反ユダヤ主義を指摘している。ラヴロフが二〇二二年のウクライナ戦争開戦当初、ユダヤ系で親類が何人もナチスのホロコーストで虐殺されているゼレンスキーを「ネオナチ」と非難しつつ、「ヒトラーもユダヤ系だった」などと発言したこと、すなわちユダヤ人虐殺の原因はユダヤ人自身だったという究極の反ユダヤ主義的暴言を吐いたことはその一例だ。

「主権」に関する特異なイデオロギーでも両者は通じあう。人種間の闘争と強者がサヴァイヴする自然淘汰という生物学的モデルで歴史と政治の全事象を説明しようとするヒトラーにとって、弱者に主権という贅沢品があたえられないことは当然だった。ヒトラーはソ連の打倒によって確保されたドイツ人の生存圏（レーベンスラウム）の東方には、無国家地帯が茫漠と広がっていればよいと考えていた。そして彼は、周知のように、ユダヤ人には主権どころか生存権すら認めていなかった。

　プーチンの主権概念については、小泉が的確にまとめている。プーチンにとって主権国家とは、他国への依存なしに自己決定権を保持する存在だ。つまりそれは、ドイツや日本のようにアメリカの「核の傘」に依存するのではなく、核をふくめた自前の軍事力によって安全保障を全うしているロシアや中国やインドなどほんの一部の強者しか——プーチンから見れば、数十発の核弾頭を保持する北朝鮮は日本や韓国にはない主権を有していることになるだろう——享受しえないものなのだ。彼がウクライナをはじめとする旧ソ連構成国に主権という贅沢品を認めていないのはいうまでもない。ロシアの国境概念を「浸透膜」にたとえる小泉の卓抜な比喩が示唆しているように、ロシアの主権は、主権をそもそも持たないジョージアやモルドヴァやウクライナといった自国の勢力圏に、高い軍事的圧とともに不断に滲(にじ)みだしてゆくのだ。

　同様のことをスナイダーも示唆している。ロシアは欧米と異なる価値観／アイデンティティを持っていると揚言するプーチンの「ユーラシア主義」は、大陸内部でのあくなき拡大志向において、ヒトラーの独裁を『国家・運動・民族』や「総統は法を護持する」などのポレミックな論説で理論的にバックアップし、国境線を越えて広がってゆく〈広域と民族と政治理念の結合〉である「帝国／領域(ライヒ)」が、従来型の国家に代わって二十世紀の国際秩序の主役になると主張するカール・シュミットの呪われた大陸地政学と地続きなのだ、と。

　イデオロギー的次元にかぎらない。戦争そのものの性格もうりふたつと呼びたくなるほどよく似ている。フランスを瞬時に屈服させた電撃戦(ブリッツクリーク)の再現をロシアの大地にもとめたヒトラーと同様に、プーチンも二〇一四年のクリミア併合の迅速な成功をウクライナ全土で再現しようとした。そして二人とも当初の大攻勢が失敗に終わったあと、明確な出口戦略をもたないまま、時とともに自国に不利となる泥沼の消耗戦に引きずりこまれた。いまウクライナで戦われているのは、クリミアをすばやく陥れたさいのハイブリッド戦争、すなわち現実空間／サイバー空間を融合させつつ、国家／非国家の垣根を越えた多様なエージェントをフレキシブルに組みあわせたニュータイプの戦争などではなく、国家の正規軍だけが調達しうる莫大な火力を背景に、歩兵と連繋した機甲部隊によって戦略的要衝と敵軍の包囲をねらうヒトラー時代と同じタイプの古典的戦争である。

　手前勝手にかかげた目標に固執する柔軟性を欠いた戦略が、絶対的独裁者のパラノイアに起因していることも二つの戦争の共通点だ。自らの世界観（ヴェルトアンシャウウング）に閉じこもったヒトラーとプーチンの戦争が、彼らの妄想の体系の外部においては理解しがたい非合理性をおびていること、そしてともに眼をおおいたくなるような残虐性に血塗られていることも強調しておかねばならない。ソ連との戦争を「みな殺しの戦争」と断言したヒトラーのドイツは、開戦当初からＳＳの出動部隊（アインザッツグルッペ）によってユダヤ人や共産党員を中心に百万近い市民を銃殺し、捕虜となった赤軍将兵五百七十万人のうち三百万人を処刑や劣悪な状況下に捨て置くことで死亡させたが、プーチンのロシアも少なくとも四百名以上が虐殺されたブチャに象徴される虐殺・レイプ・拷問といった非道な戦争犯罪を随所で犯すばかりではなく、占領地区から多くの子どもたちを人質や洗脳を目的としてロシア側に連れ去った疑いで、国際刑事裁判所がプーチンその人に逮捕状を出すにいたっている。

　これら八十年ごしの反復のなかで、しかし最も重要なのは、ヒトラーとプーチンの戦争がともに「復讐」の名のもとに反復そのものを露骨に主題化していることだ。ヒトラーの人種主義的世界観は激しい復讐心のうえに組み立てられている。それによれば、ドイツは民族の敵であるユダヤ人に内と外から同時に蝕まれており、第一次世界大戦で勝利を目前にしていたドイツを「背後からのひと突き（ドルヒシュトース）」で倒壊させた元兇はユダヤ人であり、ドイツを絞首刑に処そうとするヴェルサイユ条約の真の起草者も裏切り者のユダヤ人であり、共産主義のソ連と金満資本主義の米英の中枢にともに巣くっている国際ユダヤ人の陰謀によっていままさにドイツは東西から挟撃されており、ドイツの戦争はその仇敵にたいする存亡をかけた復讐戦にほかならない。プーチンの帝国主義的世界観も同じく「復讐」の煉瓦で塗り固められている。ナポレオンやヒトラーの侵略がロシアに強いた膨大な出血にあきたらず、共産主義の牙城の壊滅めざして軍事的・経済的・政治的圧力をかけつづけてきた西側の陰謀によって瓦解したプーチンの祖国は、冷戦の「敗戦国」として不当に蔑視されたあげく、不拡大の約束を反故にして東方に版図を広げるNATOに脅され、ついには兄弟国であるウクライナまでむしり取られようとしている。ウクライナへの「特別軍事作戦」は、そうしたNATOの卑劣な裏切りへの、そして敵に寝返ってロシアの下腹に匕首（あいくち）を突きつけようとするゼレンスキーら「ネオナチ」の策動への復讐戦にほかならない。

同志よ、敵に復讐せよ。彼らの合い言葉はこの一語につきる。

スナイダーは、ヒトラーのドイツからプーチンのロシアに隔世遺伝された負の遺産を、「永遠の政治 politics of eternity」と名づけている。「永遠の政治」とは、自国はつねにすでに外部の悪に脅かされているという被害妄想的な認識に立ち、敵への復讐心を煽るために過去の聖戦の記憶――ヒトラーにとっての七年戦争や第一次世界大戦、プーチンにとっての大祖国戦争――を永遠化しようとするイデオロギーである。「永遠の政治」は現実の歴史を消去する。そしてそのかわりに、永遠につづく悪への復讐戦という神話を自国のアイデンティティの中核にすえるのだ。この復讐は現実的な起源をもたない。だからこそ逆説的に、復讐がすべての起源にまつりあげられる。ドイツを腐蝕するユダヤ人にたいする復讐がドイツの起源であり、ロシアの歴史とはロシアの消滅をたくらむ欧米諸国への復讐の無限の反復であり、そのほかにはなにもない。この無限ループする復讐の暴力こそが、ヒトラーとプーチンの破局的な戦争を駆動しているのだ。

とはいえもちろん、独ソ戦とウクライナ戦争には、見逃すことのできない多様な差異がある。ただしそれらは、つまるところたったひとつの差異にほぼ還元しつくせる。核兵器だ。

ヒトラーは核開発にゴーサインを出し、量子力学を確立した天才物理学者ハイゼンベルクもその一翼を担ったが、実用にはほど遠い段階でドイツは敗戦をむかえた。かたやプーチンのロシアは、世界の核弾頭数のおよそ半分をしめる約六千発を保有する核超大国である。火力と包囲を中心にすえた古典的戦争の様相を呈するウクライナ戦争は、一方であからさまな核使用の脅迫のもとではじめられた史上初の戦争であり、つまりは冷戦開始以来七十年ものあいだ信じられてきた「人類を滅亡させうる核兵器によって大規模な戦争は不可能になった」という神話を葬りさり、逆に「人類を滅亡させうる核兵器があるからこそ可能になった戦争」として、人類史に新たな黒点を穿(うが)ったのだ。

　開戦を決断したプーチンの頭にあったのは、おそらくこういう確信だ。ＮＡＴＯの集団安全保障に守られる前にウクライナを叩けば、全面核戦争は絶対に回避しなければならない以上、西側にとれる対抗策はウクライナへの物資援助とロシアへの経済制裁に限られる。万一戦況が不利になり、クリミア失陥の恐れなどが出てきたら、ウクライナに核攻撃の脅しをかければ、あるいは威圧のための核実験を強行すれば、それでもダメなら小型戦術核を現実に使用すれば、けっしてロシアが負けることはない……。

　じっさいロシアでは「エスカレーション抑止」という核戦略がとりざたされていると、『現代ロシアの軍事戦略』（ちくま新書）で小泉が指摘している。「エスカレーション抑止」とは、「限定的な核使用によって敵に「加減された損害」を与え、戦闘の停止を強要したり、戦闘の継続によるデメリットがメリットを上回ると認識させることによって、戦闘の停止を強要したり、域外国の参戦を思いとどまらせよう」とするものだ。重要なのは、核兵器の使用を前提とする「エスカレーション抑止」が本当にロシア軍のドクトリンに組み込まれているか否かではなく、ロシアがそれを真剣に検討していると西側に思いこませることにある。バイデンが開戦早々に米軍の派兵を否定し、マクロンがロシアの面子を潰してはならないと侵略者の肩をもつような発言をしているのを見れば、核の脅しのもとで絶対に負けない戦争を戦うというプーチンの思惑どおりに事態は進んでいるようにも見える。

チェルノブイリ原発を軍によって占拠し、ヨーロッパ最大規模のザポリージャ原発や南ウクライナ原発にさえためらいなくミサイルや砲弾を撃ちこんでみせたプーチンは、「人質」にとられた原発が最悪のテロ兵器に変貌しうるという、これまでフィクションの世界でしか描かれてこなかった悪夢を、現実の可能性として突きつけた。それだけではない。プーチンは核兵器がはらむ意味を、世界中の人々の面前でドラスティックに変容させた。使用できない兵器から使用しうる兵器に変えただけではない。ヒトラーがはじめたような残虐な侵略戦争を防ぐ「盾（たて）」から、ナチス的な侵略戦争を可能にする「矛（ほこ）」へと、核兵器の位置づけを真逆に反転させたのだ。さきの「主権」のイデオロギーにからめれば、核兵器の有無がその国家の主権の有無と等置されるというディストピア的ヴィジョンを世界中に見せつけた画期がウクライナ戦争だといってもよい。

しかし、ここで踏みとどまって思考を凝らさなければ、プーチンが地球儀上に描きだそうとしている世界大のディストピアに、私たちも吸いこまれてしまうことになる。想定外の成り行きにあわてふためいたすえ、核共有（シェア）や核武装といった粗暴な「解決策」に考えもなしに飛びつくのは、唯一の戦争被爆国としての記憶を自ら踏み躙り、敗戦後に長く受けつがれてきた反核の思想／運動をまったくの無意味として切り棄てる愚挙であり、つまるところプーチンの恫喝に屈して彼のニヒリスティックな帝国主義的世界観をすすんで翼賛することにほかなるまい。私たちはまずは立ちどまり、こう問うべきだ。――核の威嚇によって絶対に負けない戦争を戦うというプーチンの戦略は、本当に「戦略」の名に値するのか？

よく指摘されるように、まがりなりにも合理的といえる核戦略はひとつしかない。頭文字をとると「MAD＝狂気」となる「相互確証破壊 Mutual Assured Destruction」である。たとえ先制核攻撃を受けても、全滅を免れるだけの十分な核戦力を持っていれば、反撃により相手を確実に破壊し尽くすことができる。したがって核使用は、敵味方の双方を壊滅させる非合理的な愚行として阻却される。核兵器が発明されて以来、一九六五年にアメリカ国防長官のロバート・マクナマラが打ち出したこの「MAD」のほかに、まともな核戦略を人類はなにひとつ練りあげることができなかった。「エスカレーション抑止」も例外ではない。小泉が引用する、ロシアの軍事評論家のブラックユーモアめいた発言を見てみよう。

我が戦略航空隊がまず、核兵器によるデモンストレーション的な攻撃を仮想敵の人口希薄な地域に行います。我が戦略爆撃機はこれを模擬するために、通常、英国近傍のフェロー諸島の辺りを飛行しています。これでも侵略者を止めることができない場合には、訓練用戦略ミサイルを1発か2発発射します。その後はこの世の終わりですから、計画しても無意味ですね。

「この世の終わり」に直結する危険性があり、「計画しても無意味」な部分を抱えもっている計画が、「戦略」の名に値しないことはあきらかだ。そもそも核使用によって核使用を抑えこむという思考は矛盾している。「エスカレーション抑止」は、それ自体が自己矛盾をはらんだ非合理な思考でありながら、相手が反撃のメリット／デメリットを合理的に計算するという甘い期待に依拠している。この戦略もどきが見ないようにしているのはなにか。「復讐」の制御不能性である。先制核攻撃を喰らった核保有国が、すくなくとも同等の核報復を行わないとは考えられない。とはいえウクライナはすでに核を放棄したのだから、ロシアが核を使用しても報復されることはない。この予断はまちがっている。もしプーチンが核をウクライナの国土で炸裂させたら、ウクライナ国民には、ユダヤ人にとってのホロコーストにも匹敵するような、けっして消えない復讐心が植えつけられるだろう。ロシア人にたいする永遠の復讐戦が、正規軍の戦闘にかぎらず、民兵やゲリラやパルチザン、あるいはロシアが「テロリスト」と非難するであろう形態をも幅広く取りこみつつ、ウクライナのみならずロシア国内においても、兵士のみならず民間人にたいしても果てしなく反復されることになるだろう。

『道徳の系譜学』の第一論文でニーチェは、無力な「われわれ」を一方的に攻めたてる敵をその強大さゆえに「悪（ベーゼ）」と非難し、自分たち弱者を被害者であるがゆえに「善（グート）」と規定する心理的なメカニズムを――高空から小羊に襲いかかる猛禽の例をあげながら――「復讐心（ルサンチマン）」と名づけている。キリスト教批判というニーチェ固有の文脈を離れてこの議論を敷衍（ふえん）すれば、こうした「復讐心（ルサンチマン）」を最も強烈に掻きたてるものこそ、不可視の高みから突如飛来し、無防備な群衆を大量虐殺する核兵器ではなかろうか？　悪の権化である核兵器は、「われわれ」こそが正義であるという信念と、「やつら」にたいする憎しみをどこまでもエスカレートさせるのではないか？いやそもそも、唯一の合理的核戦略である「ＭＡＤ」にしてからが、核攻撃を受けて自国が滅亡しても敵にたいする報復だけは完遂するという、復讐心の純粋な結晶ではなかったか？

一見したところ、ヒトラーとプーチンの戦争は、核兵器の有無で大きく隔てられているように見える。だが、いま見たように核兵器が復讐心と切り離せないなら、こう結論できるはずだ。――独ソ戦とウクライナ戦争は、「復讐」を合い言葉とする過激な暴力の果てしない反復を、八十年の時を超えて同じ地で反復しているのだ。

3　少女狙撃兵の視角／死角

ひるがえって、独ソの殲滅戦を舞台とする『同志少女よ、敵を撃て』の特徴を分析してみよう。

あらかじめいっておくが、多くの論者たちの称賛に私も与（くみ）する者である。『同志少女よ、敵を撃て』は、史実に虚構を織りこむ手つきの鮮やかさといい、いま眼前で見ているかのような戦闘シーンのリアルな迫力といい、それぞれ個性的かつ魅力的に描き分けられた人物造型といい、伏線を巧みに回収しつつクライマックスへ驀進していくダイナミックなストーリーテリングといい、読者の胸をアツくさせる決めゼリフのカッコよさといい、デビュー作とは思えないぬきんでた力量を示す傑作エンターテインメントだ。じっさいウクライナ戦争が起こる前からこの小説はベストセラー街道を走っており、惜しくも受賞は逃したが第百六十六回直木賞の有力候補作でもあった。だが逆に、その完成度の高さゆえにこそ、文壇と読者からのずばぬけた評価ゆえにこそ、この小説は、私たち日本人が取り逃がし抑圧している戦争の不気味さを、作品外への排除という否定的なかたちで浮き彫りにしてくれるのではないか？　……これが私の見立てである。

さて、右に列挙した魅力の数々はいわば小説としての一般的な美点である。これら以外のどのような要素が、『同志少女よ、敵を撃て』のはなつ固有の力線として多くの読者の眼を撃ちぬいたのか？

まず最初にあげるべきは、独ソ戦という大胆な舞台設定だ。ヒトラーとスターリンという世界史にきわだつ巨悪が、おのおの率いた強国の総力をふりしぼって真っ向からぶつかりあったこの戦争は、北はフィンランドやレニングラードから南はコーカサス山脈まで、東はモスクワやスターリングラードから西はベルリンやエルベ川まで、南北東西いずれも数千キロにわたる広大な戦域において、両軍あわせて一千万人規模の将兵たちが文字どおり死力を尽くして戦った空前絶後の一戦だった。

そのあまりのスケール感ゆえか、日本ではこの戦争の総体を視野におさめた小説は書かれてこなかったが、作者の逢坂も主要参考文献にあげている大木毅の『独ソ戦　絶滅戦争の惨禍』（岩波新書）が二〇一九年の上梓以来版を重ねつづけ、十数万部の売れ行きを示していることからもわかるように、この異形の大殲滅戦について知りたいという潜在的欲望は日本でも強かったと考えられる。大木によれば独ソ戦を歴史的にきわだたせているのは、さきにあげたようなスケールの巨大さや、陣地戦・装甲部隊による突破戦・空挺作戦・上陸作戦・要塞攻略など陸戦のあらゆるパターンを網羅したその多彩さではなく、「独ソともに、互いを妥協の余地のない、滅ぼされるべき敵とみなすイデオロギーを戦争遂行の根幹に据え、それがために惨酷な闘争を徹底して遂行した」ところにこそある。陸空の火力を集中した苛烈な戦闘のみならず、ジェノサイド、食糧や労働力の収奪、捕虜虐殺といった蛮行の数々によってドイツ側は数百万人規模の、ソ連にいたっては二千七百万人（あるいはそれ以上）もの死者を出したこの戦争は、戦争の残虐さや理不尽さについて考えるさいに避けては通れない関門である。戦争のダークサイドを一点に凝縮した独ソ戦を、そのダークサイドともども引きうけつつ、モスクワ前面での赤軍の冬季反攻から、戦局の転換点となったスターリングラード攻防戦、そしてクルスク戦車戦からバグラチオン作戦、最後のケーニヒスベルク攻略戦まで雄渾に描ききった若い作家の果敢な挑戦に注目があつまるのは必然だったといえよう。

　次に指摘すべきは、独ソ戦で用いられた多種多様な兵器にそそがれる、ディテールをきっちり詰めたフェティッシュなまなざしの魔力だ。兵器の仕様や用法にたいする強いこだわりは、とりわけ兵器のメカニカルな部分に焦点をあてたクールな描写によって独特の強度を生みだしている。

たとえばカザフ人の元猟師で、天才的な狙撃の腕を持つアヤの初陣——人間を撃つことの快感に酔いしれた彼女はこの戦闘で死ぬことになるのだが——はこう描かれている。


　射撃位置につき、射手を失った対戦車兵器を検分する。単射式の大口径長銃身対戦車ライフル、デグチャレフPTRD1941。実包装填済み。見たところ故障はない。

（中略）

　視線の先では戦車が砲塔をめぐらせ、こちらに気付いたのか、砲口を向けようとしていた。戦車ののぞき窓ペリスコープは高さ一〇ミリ、左右一五センチ。そこが弱点であることは敵も承知で、庇式のバイザーがさらに的を小さくしている。PTRDにスコープはない。照門と照星の単純な構造だ。しかし問題はない。もとよりスコープは補助用具であり、それなしで戦えない狙撃手など必要ない。それに、

「羆の目よりは大きいさ」

　呟くと同時にアヤは引き金を引いた。

　強烈な衝撃とともに銃声が鳴り響き、一四・五ミリの大型弾が発射された。

　高初速をまとって放たれた銃弾はペリスコープの中央部を直撃した。戦車から火花が散

り、履帯が止まる。そしてアヤは、確かに獲物を仕留めたときの実感を得た。大口径の徹甲弾は堅固な防弾ガラスを飴細工のようにもろくも打ち砕き、そこを覗いていた操縦手を破壊した。

第二次世界大戦の他の交戦国とは異なり、赤軍が百万人規模の女性兵士を擁していたことはよく知られており、『同志少女よ、敵を撃て』もその史実にのっとるかたちで書かれた作品だが、一九三〇年代から戦中にいたるまでのソ連/赤軍のジェンダー規範の独特な展開をたどりつつ、彼女たちがどうして軍に志願し、軍組織のなかでいかに扱われ、戦場でどのように戦ったのかを分析したアンナ・クリロワの『*Soviet Women in Combat: A History of Violence on the Eastern Front*』(CAMBRIDGE UNIVERSITY PRESS)は、狙撃ライフルや機関銃や軍用機といったハイテク兵器によって男女の戦闘力の差が埋められたことが、赤軍に女性の居場所があたえられた要因のひとつだとしている。

男女差を無化するハイテク兵器に自らの肉体を直結して異常な戦闘力を引きだす女性兵士の姿に、たとえばマシンガンでドイツ兵をなぎ倒すオデッサ戦の英雄ニーナ・オニロヴァに、あるいはさきに引用した敵戦車――主砲を前方に突き立てた戦車のファリックな形状はいうまでもなく男性性の象徴である――を操縦手ごと屠(ほふ)るアヤに、「女神よりもサイボーグになりたい」と宣言したダナ・ハラウェイの先駆けを見ることもできよう。じっさいクリロワは、女性兵士は戦友であるはずの男性兵士よりも先にまずは自らの武器と固く結びついていたとし、狙撃銃を「私の手のなかにいる女性同志」と呼ぶサイボーグ的な欲望を書きとめている。人間の心身とハイテクメカを融合して強大な力を手に入れるというプロットは『鉄腕アトム』『エイトマン』『サイボーグ００９』、さらには『マジンガーZ』から『ガンダム』『エヴァンゲリオン』に至る系譜に明らかなように、日本のエンタメ的想像力の中心にあり――現代における一例として空母や戦艦を若い女性（「艦娘（かんむす）」）に擬人化した人気ゲーム「艦隊これくしょん」などがあげられる――、現実においてもメタバースへ導くVRなど日進月歩のサイボーグ技術が私たちの身体のリミットを更新しつづけているいま、サイボーグ兵士たちを彩る多様な兵器群のフェティッシュでメカニカルな描写に惹きつけられる読者は多いにちがいない。

　さらに見逃せないのは、狙撃兵という兵種にフォーカスすることであらわれる特殊なまなざしが、戦争小説にもたらす新たな可能性である。主人公のセラフィマをはじめ女性狙撃兵のみで構成された第三九独立親衛小隊の活躍を作品の中核にすえるというアイディアは、ストーリー展開に重要な役割を果たす人物として作中に登場する実在の赤軍女性狙撃兵リュドミラ・パヴリチェンコ――敵狙撃手二十九人を含む確認戦果三百九人という驚異的な狙撃記録をもつソ連邦英雄で、一九四二年にはスターリン直々の命令によって欧米派遣団の一員としてホワイトハウスを訪れ、大統領夫人エレノア・ローズヴェルトと戦後も長く友情を育んだ伝説のスナイパー――が晩年に記した回想録（『最強の女性狙撃手　レーニン勲章を授与されたリュドミラの回想』原書房）を主要な発想源としていることはまちがいない。

回想録から、パヴリチェンコが戦前に学んだ狙撃学校の教官の教えを引用しよう。

生徒には、目がよいこと（視力の良さは個々の眼球構造によって決まり、生まれもってのものだ）のほかにも必要なものがあった。一定の性格をそなえていることが必要なのだ。穏やかでバランスがとれ、冷静沈着であり、そして怒りや笑い、悲しみや——これはもってのほかだが——興奮に囚われてはならない。狙撃手とは忍耐強いハンターだ。撃つのは一発のみ。それをはずしてしまえば、自らの命がその代償となることもある。

知力と体力と忍耐力と集中力のすべてをふりしぼりつつ、互いの命をマトに一対一で対峙する狙撃兵同士の決闘は、やはり実在のソ連邦英雄ヴァシーリィ・ザーイツェフを主役に、彼とドイツ人凄腕スナイパーの息づまる対決を描いた映画『スターリングラード』（ジャン＝ジャック・アノー監督、ジュード・ロウ主演、二〇〇一年）——作中のヘルメットを使った欺騙工作などを見ても、逢坂がアノーの演出を参考にしたのはまちがいない——に如実なように、スリリングでサスペンスフルなシーンを可能にしてくれる。だがここで注目したいのは、生まれつきの眼球構造によってアプリオリに決まっているという「視力の良さ」への言及だ。

スナイパーの目は、戦場に特異なまなざしを導入する。銃剣をかざして敵陣に突撃する歩兵は、眼前の敵を見すえるミクロな視界を生きている。彼らを背後から支援する砲兵は、精密な弾着観測を介してマクロな戦域を俯瞰しつつ遠距離から砲弾をはなつ。それにたいして狙撃兵は、敵と味方の前線のあいだにひろがる中間地帯にひそかに進出し、数百メートル離れた敵をスコープで拡大して狙い撃つ。スナイパーとは、戦場の広がりをマクロにとらえる視角と敵兵の顔を映すミクロな視点とを接合する、生まれもっての「視力の良さ」をそなえた者のことなのだ。

マクロとミクロを結びつけるこうしたまなざしは、巨大な戦争の全貌をとらえつつ、そこに巻きこまれた個々の人間の運命を描こうとする戦争小説において、非常に重要な役割を果たす。かつて私は、ナポレオン戦争を描いたトルストイの『戦争と平和』、第一次世界大戦を扱ったレマルクの『西部戦線異状なし』、第二次世界大戦を材にとった大岡昇平の『レイテ戦記』を比較検討し、それら三作が個々の兵士の生死をまなざすマクロな視点＝超越性をそれぞれ異なる仕方で確保していると指摘したことがある（「二つのフィリピン戦　大岡昇平と奥泉光における死者の顔」『暴力論』講談社）。果てしない空の高みから英雄的な闘争に身を投じる将兵たちを見おろす『戦争と平和』の「肯定的超越性」や、塹壕を這う蟻と化した兵士たちの死を「異状なし」の一語で切り棄てる『西部戦線異状なし』の「否定的超越性」にたいし、『レイテ戦記』において個々の将兵たちの運命を語る大岡の視点は、膨大な死者たちの声に支えられることでかろうじて戦場に明滅する「弱い超越性」に変化しているというのが、そこでの主張だった。

『同志少女よ、敵を撃て』は一見、これらの偉大な戦争小説が周到なたくらみを凝らして実現しているマクロとミクロをともにまなざす視力を、戦争の進展に即して随意に挿入される「全知の語り手」の地図付き「独ソ戦戦況解説」によって、お手軽に補綴（ほてつ）しているように見える。だがそうした批判はこの小説の底力を見誤っている。敵と味方の中間地帯に忍びこみ、遠く離れた相手をすぐ近くにとらえて撃ちぬく狙撃兵の特異な視角は、俯瞰（マクロ）と接写（ミクロ）をこれまでの戦争小説とはちがったかたちで結びつける巧みなしかけとして作中に導入されているのだ。

その視角が最も効果的に活かされるのは、物語のクライマックスのケーニヒスベルク攻略戦である。主人公のセラフィマが、母を銃殺した仇敵であるドイツ人狙撃兵イェーガー——ドイツ語でハンターや狙撃手を意味する「Jäger（イェーガー）」は、第二章で論じる『進撃の巨人』の主人公の名でもある——と対決するシーンの、はるかな距離を隔てて対峙しつつも、すぐ間近で相手の吐息に耳をすましているかのような迫真を見よ。幼なじみで赤軍の砲兵将校になったミハイルがドイツ人女性を犯すところをセラフィマが狙撃スコープで遠くから目撃し、「同志少女よ、敵を撃て」と念じつつ、女性の「敵」たるソ連人（ミハイル）を射殺するシーンの衝撃を見よ。多くの読者を魅了したにちがいないこれらのシーンは、マクロとミクロをシームレスに接合する狙撃兵の視角という、いわば作品そのものにアプリオリにそなえつけられた「眼球構造」の巧みさぬきには書きえなかった。

最後に、この作品の魅力の最重要点にふれよう。いうまでもなく、少女兵士を主役にすえる斬新な設定である。これまで戦争小説がほぼ捨象してきた——たとえばあれほど長大な『レイテ戦記』にはひとりたりとも女性が登場しない——女性たちを、男たちがはじめた戦争のたんなる犠牲者として受動態で描くのではなく、自らの意志で敵を殺す兵士として能動化し主体化した点に、そしてそれゆえ深い内的葛藤にもがき苦しむ少女兵士たちのあいだに結ばれるシスターフッドの絆をエモーショナルに描いた点に、『同志少女よ、敵を撃て』の最大の訴求力がある。

「戦闘少女」の形象がはらむ現代的な意味については、新しい女性性の出現を鮮やかな輪郭とともに析出した『戦う姫、働く少女』（POSSE叢書）と、模索されつつある新しい男性性のゆくえを複雑に絡みあう力線によってデッサンした『新しい声を聞くぼくたち』（講談社）における河野真太郎の鋭利な分析を援用しないわけにはいくまい。河野の分析フレームを縁取っているのは、一九八〇年代〜九〇年代に相互に連関しつつ出現したポストフェミニズム状況と新自由主義である。両者に囲繞（いにょう）された現代社会にあっては、自由競争を謳（うた）う労働市場に率先して飛びこみ、勝ち組めざして主体的に戦いぬくことにこそ、女性の自己表現／自己実現の理想が見出される。一方、これまで優位なジェンダーの特権を享受してきた男性は、フェミニズムにすすんで適応しようとする層と女性にたいするルサンチマンをこじらせる層に分裂するといった複雑な葛藤を見せる。こうしたシェーマから出発しつつ、ブロックバスター映画を中心とする多様な作品群に秘められたジェンダーや格差の問題を掘りおこし、新自由主義が隠蔽する貧困と階級の問題を乗り越えるクィアな連帯の可能性を河野はさぐってゆくのだが、ひとまず本書の文脈では、『風の谷のナウシカ』のナウシカをはじめとする「戦闘少女」の系譜にセラフィマたちも連なっていることを指摘しておけば足りよう。

百万もの女性兵士を抱えた赤軍においては、戦う男たちを応援するチアガールに女性を擬したアメリカや、未来の民族同胞（フォルクスゲノッセン）を生み育てる母の役割に女性を封じこめたドイツとは、ジェンダーをめぐる状況がまったく異なっていた。アンナ・クリロワは、ブルジョワ的ジェンダー規範を軽蔑し、平等な市民という強い自覚のもとで祖国の防衛義務を果たそうと赤軍に志願した女性たちは、飛行士や機関銃手や狙撃手や砲兵といった兵種に回されることも多く、ほとんどが歩兵として前線に送られた男性徴集兵に比して、生き残ったり昇進したりするチャンスにめぐまれてすらいたと指摘している。男女同権が（あくまで名目上ではあるが）保障された戦時下の赤軍の状況は、河野のいうポストフェミニズム状況に重なりあう。

　また、厳格な自己マネージメントを強いられた兵士たちを生死をかけた闘争に放りこむ独ソの戦場を、競争の適応者だけをサヴァイヴさせ、敗者をフィールド外に打ち棄てる新自由主義の極限的な先行種ととらえることも可能だろう。セラフィマら少女たちが、いずれもドイツ軍に家族を殺され、既存の人間関係を断ち切られてアトム化した個と設定されていることも重要だ。その姿は、新自由主義的政策によって社会の全域から中間団体が一掃されたあとの市場＝戦場に剝きだしの個として投げだされた現代人たち――「社会などというものはないのです」というサッチャーの言葉を想起せよ――によく似ている。

　こうして『同志少女よ、敵を撃て』は、独ソの苛烈な殲滅戦のさなかに例外的に出現したポストフェミニズム／新自由主義状況に、厳しい訓練＝自己マネージメントを通じて生存競争を勝ちぬく力を身につけた「戦闘少女」のイメージを挿入し、激戦の果てに成就されるシスターフッドの連帯を、そしてセラフィマと教官／上官であるイリーナのホモセクシャルな愛を描きだす、現代の文化的トレンドに巧みに棹さした戦争小説だと解釈できる。この小説の読者が分けもつ共感の中心には、生きることの困難さをめぐる現代社会の問題をアレゴリカルに乗り越えようと苦闘する「戦闘少女」たちの、自己実現にむけた果敢なチャレンジがあるといえよう。*1

まとめよう。①独ソ戦というショッキングな舞台設定。②ハイテク兵器にたいするフェティッシュなこだわり。③狙撃兵がもたらす特殊な視角。④現代社会に通じる生きがたさと戦う「戦闘少女」への共感。——この四点が、『同志少女よ、敵を撃て』に固有な魅力を構成している。どの要素をとっても魅力的なこれら四点が、ドラマティックな構成とリーダブルな文体へ巧みに溶かしこまれていることが、この作品が大成功をおさめた理由だといえよう。

だが、ここで立ちどまってはならない。重要なのは、戦争を主題化したこの大ベストセラーが、戦争のなにを外部へ排除することで自らをエンターテインメントの領域につなぎとめているのかを見てとることだ。こういってもよい。この作品が多くの読者に絶賛とともに迎えいれられた理由は、そこに戦争のなにが描かれているかということだけではなく、戦争のなにがそこから省かれているかにも密接に関係している。その省かれたなにかは、すなわち少女スナイパーたちの視角の外部にひそむ死角は、おそらく私たちが集合的に抑圧している戦争の不気味さと通底している。その不気味さを直視することで、はじめて私たちは、ウクライナ戦争がもたらしつつある歴史の断層にいかに対処すべきかを真摯に考えぬくことができるのではないか？――

次節への準備としてひとつだけ指摘しておく。死角は、じつは表紙カバーにあからさまなかたちで書きつけられている。ポーの傑作ミステリー『盗まれた手紙』と同様に、けっして見てはならないメッセージは最も眼につく場所に置かれているのだ。『同志少女よ、敵を撃て』というタイトル。それこそが作品の死角である。

周知のようにカール・シュミットは『政治的なものの概念』において、政治の領域に固有なダイコトミーは友／敵の峻別にあると断じた。『政治神学』における「主権者とは、例外状態に関して決定を下す者をいう」という有名な定義を考えあわせれば、シュミット的な主権者とは、戦争や内乱といった例外状態において、誰が味方で誰が敵かをパフォーマティヴに決定する者だということができよう。セラフィマら少女兵士は受け身の犠牲者ではなく自らの意志で敵を殺戮する能動的主体だが、彼女たちの主体性には、「同志」と呼びかけることで味方を、「撃て」と命ずることで敵を決定するシュミット的主権者が装塡されているのだ。

思いだそう。友と敵を峻別し、敵をひとり残らず殲滅せよと友軍に厳命する仮借なき二元論を、史上最も大規模かつ徹底的に強要したのが、独ソ戦を戦った二人の独裁者ヒトラーとスターリンだったということを。そして彼らが「民族／階級同志よ、敵を撃て！」という至上命令を完遂するために利用し尽くしたものこそ、人間と人間のあいだに働く最強の引力と斥力、すなわち同化／同調圧力と復讐心にほかならなかったということを。

一方、セラフィマが「同志少女よ、敵を撃て」とタイトルにもなっている言葉を念じるのは、ドイツ女性をレイプしようとした幼なじみのミハイルを狙撃する、さきに見たシーンの一ヵ所だけだ。「私は、女性を守るために戦います」「私は、私の信じる人道の上に立つ」と宣言するセラフィマは、レイプという人道に反する罪を犯そうとした「敵（男）」を「同志（女）」の普遍的人権を守るために撃ち殺す。

——この感動的なシーンは、しかし感動的だからこそ、現実の戦争を駆動する残虐な力学から、ひらりと身をかわしてはいないだろうか？　すなわち、ヒトラーとスターリン、さらにはプーチンの戦争を駆動している、あの「復讐の永遠の連鎖」という暴力を。

4 「戦争」から排除されたものたち

ここで反論があるにちがいない。『同志少女よ、敵を撃て』は、「同志」と「敵」をパフォーマティヴに分割するそのタイトルにしたがわず、戦争の核心に埋めこまれた復讐心と同化／同調圧力をしっかりと描いているではないか？　主人公のセラフィマは、母親を撃ち殺したドイツ軍スナイパーのハンス・イェーガー、故郷の村人たちを虐殺して自分をレイプしようとした敵兵たち、そしてドイツ軍から救出してくれたのはいいが、虚脱するセラフィマに戦うことを強要して母の遺体もろとも家に火を放った赤軍女性将校イリーナ、この三者に復讐することを誓って狙撃手の道を歩みはじめたのではなかったか？　しかも彼女の小隊のメンバーは、敵に家族を奪われた悲しみがもたらす同志の絆で固く結ばれていたのではなかったか？　普通のエンタメ作品なら敬遠するだろうイリヤ・エレンブルクの「ドイツ人を殺せ。ドイツ人を生かしておけば、奴らはロシア人の男を殺し、ロシア人の女を犯すだろう」という憎悪剝きだしのアジテーションすら、一度ならず作中に引用されているではないか？　ヒトラーやスターリン、そしてプーチンの戦争を駆動する「復讐の永遠の連鎖」を作品外に放擲することによって、日本人の戦争観の根底にひそむ抑圧を鏡面のように反映しているという『同志少女よ、敵を撃て』の読解は、まったくの的外れではないのか？……

　だが見落としてはならない。セラフィマの復讐は無限の反復という泥沼にはけっして陥らない、ということを。永遠の過去へさかのぼりつつ未来へ果てしなく繰り延べられる復讐の連鎖が、独ソ戦とウクライナ戦争のエスカレートしつづける暴力の核心にあることは、すでに2節で見た。それにたいしてセラフィマの復讐は明確なはじまりと終わりをもっている。こういってもよい。彼女の復讐心はあらかじめ解消／浄化を目して作中に導入されたフィクティヴなしかけであり、復讐の呪われた氾濫を防ぐための一種の護符であり、復讐の巨大な感染力を封じこめるために投与される弱毒化されたワクチンなのだ。

作品冒頭で彼女が誓った三つの復讐の帰趨を見ればよい。母を殺したイェーガーへの復讐は、ケーニヒスベルクの決闘でセラフィマが彼を撃つことで成就されるが、瀕死の相手に対面した彼女はイェーガーのロシア人の愛人が生きていることを告げてやり、イェーガーのほうも駆けつけた赤軍兵にミハイル（赤軍将校）を撃ったのは自分だとウソをついてセラフィマを救う。ここにあるのは、赤軍の前線に配られたビラで「敵を撃て、はずすな！」と同志たちにファナティックに呼びかけるリュドミラ・パヴリチェンコならけっして容認しなかっただろう、敵と味方の戦場における和解だ。

丸腰の村人たちを虐殺したドイツ軍への復讐心は、前節の最後で示したように女性の普遍的人権を侵す「敵（男）」にたいする懲罰へとズラされ、幼なじみの赤軍将校を撃つという奇妙なかたちで解消される。憎んでも憎みたりない仇敵であったはずのドイツ人は、ストーリーの終盤でもっぱら少年や女性の形象へ投影され、保護されるべき「弱者」へとアレゴリカルに転態する。戦争の発生源たる敵／味方の分割線はいつのまにかズラされ、ぼかされ、かき消されているのだ。なるほどエレンブルクの身も蓋もない督戦のアジテーションは引かれているが、彼とほぼ変わらぬ言葉を戦後二十年経っても回想録に誇らしげに記しているパヴリチェンコとは異なり、セラフィマはつねにエレンブルクの煽動を批判的に受けとめていることに注意したい。

とりわけ問題含みなのは、イリーナへの復讐だ。死ぬより戦えと命ずるイリーナの態度がいかに強圧的であるにせよ、レイプと死の淵から自分を救ってくれた赤軍将校を母や村人を虐殺した

「敵」と同列に並べて復讐の対象とするのは、そもそも無理のある設定だといわざるをえない。じっさいイリーナへの復讐心は、クライマックスのケーニヒスベルクの決戦のさい、彼女に棄てられたと信じていた思い出の家族写真をセラフィマが受けとり――真理という「手紙」は必ず正しい宛先に届くというラカンのテーゼが想起される――、狙撃手という名の殺人者へ少女たちを仕立てあげた罪の意識からイリーナが死を覚悟していたことを知ったとき、あっけないほどするするとほどけてしまう。ほどけるどころか、ケーニヒスベルクの陥落後にすぐさまイリーナへの愛情を自覚したセラフィマは、戦後は故郷の村に帰って彼女と二人きりの愛を育むことになるのだ。

読みとられるメッセージは明確だ。復讐心は最後には浄化され、敵と味方の分断は乗り越えられ、愛の共同体がすべての対立と憎悪をメシアニックに救いだす。復讐には手打ちがある。いや、手打ちがなければならない。――ここにこそ私たち日本人の、戦争にたいする奇妙なアンビギュイティの源があるのではないか？

復讐心は必ず昇華される。この予定調和的な想定こそが、大岡のいう「半分は子供」の状態に長く日本人を係留しつづけてきた重石（おもし）ではなかろうか？　この安易な思いこみが、「復讐の無限の連鎖」を解き放とうとするプーチンの戦争への全面的非難と、復讐心からの救済を描いた戦争エンターテインメント『同志少女よ、敵を撃て』のベストセラー化を同時に成り立たせる秘鑰（ひやく）ではなかろうか？　最初に手打ちありきで復讐の問題を矮小化すれば、その暴走をあらかじめ手なずけられると考える非現実的なロジックが、復讐の果てしない連鎖こそが惨酷な戦争の心臓であるという冷徹な認識を隠蔽／抑圧し、結果として日本の国際政治における立ち位置を、安全保障にかかわる構想を、国家としての未来への展望を、焦点の狂ったスコープを覗きこむように歪ませているのではなかろうか？ ——

1節で列挙した、文学・アニメ・漫画・映画などのジャンルを横断する多様な戦争表象を分析し、日本人の戦争観の「死角」をさらに掘りさげてゆく作業は、次章にゆだねることとしよう。ここでは、『同志少女よ、敵を撃て』が「戦争」の外部に追いやっているものを幾点かあげるにとどめておく。ただしそれらは結句、「復讐の無限の連鎖」の抑圧という点で通底している。

①女性性の複雑さが消去されていること。『同志少女よ、敵を撃て』に登場する少女／女性たちは、おのおの目的や生きがいは違えど、いずれも自らの信じる理想を命がけで追求する芯の強さをもっている。女性の普遍的人権のために戦い、それを守るためなら死刑を覚悟で友軍将校を殺害するセラフィマだけではない。みなに「ママ」と慕われるヤーナは、「戦うのは、子どもを守るためよ。殺すためじゃあない！」と叫んでドイツ人の少年を救おうと敵前に走りだし、瀕死の重傷を負う。看護師のターニャは傷病者は敵味方の区別なくケアすると宣言し、「たとえヒトラーであっても治療するさ」とまでいってのける。スターリングラードでイェーガーの愛人だったサンドラは、イェーガーを包囲地帯（ケセル）から脱出させるため、胎児もろとも自らの命を危険にさらす。——母性やケアワークや献身的な愛といった古めかしいジェンダー規範を割りあてられつつも、おおむね愚かで醜悪に描かれる男性たちとは対照的に、彼女たちはおのれの理想を真摯に生

きぬく力をもった、輝かしく美しい存在である。[*2]

だがこうした女性の美化／理想化は、女性性が戦時にはらんだ複雑さを捨象しているという意味で、戦争の一方的な被害者としての女性という安直な抽象と表裏一体をなしてはいないか。近代的な野戦軍の後背には多種多様なロジスティックス（兵站業務）を遂行する「工場」（ヴァシーリイ・グロースマン『人生と運命』みすず書房）が不可欠であり、じっさい、独ソ戦の渦中を生きた女性たちの証言をあつめたスヴェトラーナ・アレクシエーヴィチのドキュメンタリー文学の傑作『戦争は女の顔をしていない』（岩波現代文庫）では、兵士やパルチザンだけでなく、修理工や洗濯係や料理係や理容師や通信兵や衛生兵や郵便局員といった「舞台裏」の女性たちの多様な声があつめられている。前線で戦った女性兵士と同じように、彼女たちがみな命がけで働いたことは言を俟（ま）たない。だが同様に、彼女たちがおのれの個人的信念をなにがあろうとつらぬきとおすセラフィマのような美しい超人でなかったのもまちがいない。彼女たちは私たちと同じふつうの人間だった。そうした平凡で雑多な人間の数十万数百万におよぶ大群を、巨大な戦闘マシーンへまとめあげた唯一の紐帯（ちゅうたい）が、祖国／味方を守りぬき、侵略者／敵に復讐するというルソー的な一般意志だったのだ。美のオーラで多様性をコーティングすることは、多種多様な女性たちをひとつに結びつけた復讐心の役割を朧化（ろうか）することにつながってしまう。

くわえて女性たちの加害者性を無視するわけにもいくまい。一部の赤軍女性兵士が残虐行為にすすんで加担し、僚兵たちに集団レイプされるドイツ人女性を嘲笑していたという証言を棄て置くことはできない。一方でドイツの女性たちも「敵」にたいして常軌を逸した蛮行をはたらいていたことは、東部での戦争遂行に協力した五十万人ものドイツ人女性の思考や行動を分析したウェンディ・ロワーの『ヒトラーの娘たち　ホロコーストに加担したドイツ女性』（明石書店）が如実につたえるところだ。たとえばウクライナのユダヤ人ゲットーに秘書として赴任したヨハンナ・アルトファーターは、よちよち歩きの子どもの両足をつかんで逆さ吊りにし、そのままゲットーの壁に頭をたたきつけ、息絶えた子どもを父親の前に投げだした。また、飴で子どもを誘いだし、子どもがやって来て口を開けると、拳銃で口を撃つことをくりかえした。こうした残虐行為を周囲に何度も目撃されたアルトファーターは、皮肉きわまりないことに、戦後は児童福祉事務所で働いていたという。

②**ホロコーストという未曽有の犯罪が後景に退いていること**。ポーランド解放の折りにセラフィマらは強制収容所における組織的なユダヤ人虐殺について知ったとされているが、そこでの言及は通り一遍なものでしかない。エピローグでもユダヤ人の大量虐殺について触れてはいるものの、ドイツがホロコーストの加害を認め謝罪したのは、国際社会へ復帰するための禊（みそぎ）だったというシニカルな観点の提示にとどまり、その犯罪の絶対的強度を掘りさげるより、公的事実となったホロコーストとは対照的に独ソ両軍が犯した女性への性犯罪が隠蔽された点が強調されている。

そもそも、逢坂が参考文献としてあげている大木毅のロングセラー『独ソ戦　絶滅戦争の惨禍』でも、ホロコーストを主題的にとりあげているのは、「絶滅戦争」と題された第三章の第三節「絶滅政策の実行」のなかのほんの数ページにすぎない。ことの重大さに比したとき、この扱いの小ささは看過できない。やはり独ソ戦全体を舞台にとり、絶滅戦争とホロコーストの実相をSS将校のモノローグで綴ったジョナサン・リテルの『慈しみの女神たち』（邦訳は集英社より二〇一一年）が、二〇〇六年に発表されるやゴンクール賞とアカデミー・フランセーズ文学大賞をダブル受賞し、フランス国内で百万部近くを瞬く間に売り上げるばかりか、二十以上の言語に翻訳されて世界中で論争を巻きおこした問題作だったにもかかわらず、日本ではほとんど話題にならなかったことを考えあわせるに、日本人は独ソ戦については知りたいが、ホロコーストには関心をもてない／もちたくないのだと推察される。

しかし、ヒトラーがユダヤ人の肉体的殲滅の指示をいつ下し、ヒムラーやハイドリヒが殺戮機構のアクセルをいつ踏みこんだのかについては諸説分かれるにせよ、電撃的勝利の見込みを失った対ソ戦の展開がユダヤ人たちの運命に決定的な役割を果たしたという点ではどの歴史家も一致する。SSの出動部隊（アインザッツグルッペ）や髑髏部隊（トーテンコプフフェアベンデ）だけでなく、東部に動員された国防軍の将兵や警察の諸部隊もすすんで関与したホロコーストは、ユダヤ人への復讐の妄念に凝り固まったナチスドイツの、東方植民地の獲得とならぶ枢要な戦争目的であり――『我が闘争』から「政治的遺書」にいたるまでヒトラーはユダヤ人への憎悪を一度たりとも隠さなかった――、くわえて「女性が大量殺戮計画の実行に不可欠な労働力である」と考えたヒムラーのもとで、計画遂行に不可欠な収容所看守や看護師や事務員やタイピストや翻訳者といった多様な役職に大量の女性が動員され、虐殺行為に加担した事実から眼をそらすことはできない。

　ホロコーストを見ずに独ソ戦を語ることはできない。独ソ戦中のおびただしい性犯罪を、ホロコーストによって相対化できないのは当然だ。だが同様に、ユダヤ人を中心に六百万近い人々が殺されたホロコーストを、性犯罪の非道さによって相対化することもできない。戦争の残虐さを書くならば、どちらも書くほかないのだ。『人生と運命』でグロースマンが、『戦争は女の顔をしていない』でアレクシエーヴィチが、まさにそうしているように。

③核兵器の存在が不問に付されていること。第二次世界大戦中、ソ連はスパイを介してアメリカの原爆開発プロジェクトの情報をつかんではいたが、独自の核開発に成功したのは戦後四年経った一九四九年だった。なるほどグロースマンの『人生と運命』では主人公ヴィクトルが原爆開発に巻きこまれてゆくさまがつぶさに描かれてはいるものの――スターリンが「ウラン研究の組織化について」という秘密指令に署名するのはスターリングラード戦たけなわの一九四二年九月である――、『同志少女よ、敵を撃て』に核兵器が登場しないのは特に不自然ではないように思える。だが、一九七八年に老境にさしかかったセラフィマが、自分たち女性兵士とソ連という国家の戦後の歩みをふりかえるという体裁で書かれたエピローグに、カザフの原爆実験場にふれた一ヵ所をのぞいて核に関する言及がまったくないことは必ずしも自然ではない。
スナイダーが『自由なき世界』でソ連／ロシアの「永遠の政治」の起点としたブレジネフ時代

（一九六四年〜一九八二年）は、ソ連型の社会主義に未来はないと誰しもが悟った時代であり、構造的腐敗に底板まで蝕まれたソ連がすがりつけるのは、もはや大祖国戦争の勝利と世界最多の核弾頭しかなくなった時代である。核兵器が狙撃ライフルを駆逐してゆく戦後の趨勢を悲しむという反動的なかたちではあるが、パヴリチェンコの回想録――やはりブレジネフ時代の一九六七年〜七二年に書かれている――もこの点にふれている。「国防省は、戦場で敵と衝突するのではなく、地上軍の兵士に代えて核爆弾を使用することを考えていた。熱核爆弾が爆発すればそこは焦土となり、敵は塵と消えて狙撃手が銃弾を放つ相手など残ってはいないだろう」と悔しさもあらわに記すパヴリチェンコは、まるでスコープ越しに敵を見ながら撃つというスナイパーの特殊な視角が、敵の姿を跡形もなく消しさる核兵器の無‐視角に無化されてしまうのを惜しんでいるようにすら見える。彼女の嗟嘆をこう読みかえてもよい。狙撃ライフルはそれを使いこなす者を英雄にするが、核兵器は「英雄」という概念そのものを蒸発させる。

本屋大賞を受賞したベストセラー戦争小説『同志少女よ、敵を撃て』から、最終兵器である核爆弾が排除されている事実は、つぎのことを暗黙のうちに示唆していないか。――日本人は、唯一の戦争被爆国の国民でありながら、いやそうであるからこそ、核の問題には眼を閉ざしていたいという無意識の欲望をいだいている、ということを。一見とほうもない逆説に思えるこの問題を、真剣に受けとめてみる必要がある。核が提起する巨大な問題複合体（プロブレマティク）にたいする国家的な「否認」が、たとえば核不拡散条約（NPT）体制には協力するが、核兵器禁止条約（TPNW）には批准どころかオブザーバー参加すらしようとせぬまま、自国を核攻撃した当のアメリカの「核の傘」にアッケラカンと頼りきる「唯一の戦争被爆国」という奇妙なねじれを生みだしているのではなかろうか？

この問題については次章以降に深掘りすることとして、ここでは一本の補助線を引くにとどめよう。「原爆乙女」としてアメリカで整形手術を受けた女性被爆者たち（少女と呼ぶべき年齢の人も含まれていた）と、セラフィマら少女狙撃兵たちの劇的なコントラストだ。少女狙撃兵たちはスコープにうつる敵の顔を撃ちぬく能動的な戦闘主体であり、美しい容貌と自分の声で理想を語る力をもっている。それにたいし、「原爆乙女」たちは顔の見えない敵が高空から投下した爆弾に一方的に傷つけられた受動的客体であり、放射線と熱線で顔と身体を歪められながらも、「弱者」の立場から和解と感謝の言葉を述べることを強要される。このコントラストが突きつけるのは、つぎの疑問だ。少女狙撃兵の活躍にたいする私たちの熱狂は、「原爆乙女」に類することはもう忘れてしまいたいという深層の欲望と裏腹ではないか？――

多様で複雑な女性性を美的／理想的形象へと回収してしまうこと（①）は、その雑多さを束ねる「敵への復讐の誓い」が果たした役割をあいまいにぼかすことにつながる。[*3] ホロコーストの後景化（②）は、ルターらキリスト教徒たちの永年にわたるユダヤ人への復讐心や、アーリア人の血を汚すユダヤ人への復讐というナチスの妄念ばかりでなく、ユダヤ人国家イスラエルが七十万人以上のパレスチナ人を暴力的に難民の境遇へ追いやった一九四八年の「ナクバ（破局）」以来、中東の地で繰り広げられてきた出口の見えない復讐の連鎖を意識から遠のかせてしまう。核兵器を不可視化すること（③）は、「ＭＡＤ（相互確証破壊）」にあきらかなように、復讐のロジックぬきに核戦略が組み立てられない事実から眼をそむけることだ。

つまるところ①〜③は、「復讐には終わりがなければならない」、あるいは「終わりのない復讐など存在してはならない」という前提を保守する防波堤にほかならない。独ソの巨大な殲滅戦を、ハイテク兵器がはらむフェティッシュな魅惑とともに、現代社会にも通じる生きがたさを背負った女性スナイパーの視角から描きだすという、3節で析出した『同志少女よ、敵を撃て』のベストセラー化の理由に、もう一点、重要な要素をつけくわえなければならない。「復讐の無限の連鎖」を抑圧すること。これである。

セラフィマが、タイトルにもなっている「同志少女よ、敵を撃て」という言葉を念じるのは、すでに見たように、敵国の女性をレイプしようとした幼なじみの友軍将校を射殺する瞬間である。感動的なシーンだ。だがこれはもはや憎悪にみちた復讐ではない。作品のタイトルが示しているのは、そもそもは友と敵を峻別し、敵を殲滅せよと友軍を煽りたてるシュミット的主権者のパフォーマティヴな命法だったはずだ。この命法を極限的な苛烈さにまで高めるブースターこそ、味方への限りない同一化と、敵への終わりのない復讐心だったはずだ。だが、まさしくそのシュミット的命法を口にしながらセラフィマが撃ちぬくのは、母や家族や僚兵を殺した「敵」ではなく、人道に反する「犯罪者」である。こういってもよい。セラフィマの放つ銃弾は、「復讐の連鎖」という戦争を駆動する暴力ではなく、普遍的人倫にのっとった「公正な審判」を照準しているのだ。セラフィマが狙撃スコープで見ているのは、もはや血と泥にまみれた「戦場」ではなく、天上から地を俯瞰する「裁きの場」なのであり、いわば彼女はこのとき、ドイツ兵を抹殺する赤軍スナイパーとして戦地を駆けているのではなく、「人道にたいする罪」を裁くニュルンベルク裁判の判事席に坐っているのだ。

だがシュミットは、ニュルンベルク裁判の正当性や「人道にたいする罪」の法理を根本から否定するばかりか、そもそも政治の世界に普遍性など存在しないとうそぶいていたはずだ。そこにあるのは、味方という特殊なグループと敵という特殊なグループのあいだの果てしない闘争のみだと断言していたはずだ。だとすればセラフィマは、最もシュミット的なテーゼを念じつつも、シュミットからは最も遠く離れた地点を撃ちぬくという、熟練の狙撃手にはあるまじき誤射を犯していることになる。こういってもよい。独ソ戦の最深奥で放たれた銃弾は、独ソ戦の核心をわざと撃ち損じているのだ、と。

しかし私たちがいまウクライナ戦争で目のあたりにしているのは、「復讐の永遠の連鎖」が荒れ狂う戦場で、数十万もの人びとの喉が掻き切られ、引き裂かれた死者たちが弔いもなしに道ばたに放りだされ、地下室や廃墟に息も絶え絶えに隠れ住む人たちがミサイルや戦車に無惨に踏みつぶされてゆく光景ではなかったか？　公正な裁きという普遍性が、砲撃と拷問と銃殺の嵐のさなかで粉々に打ち砕かれ、友／敵というけっして和解できない特殊性どうしが終わりなき殺戮をくりかえす光景ではなかったか？　その意味でセラフィマの銃弾は、ウクライナ戦争にむけて放たれているとはいえないのではないか？　彼女の銃弾のゆくえを固唾をのんで追う私たちの眼は、ウクライナの戦場からは遠く離れた場所を――「どこにもないところ」を原義とするユートピアを――目しているといわざるをえないのではないか？

＊

日本人の戦争観をめぐる次章以降の議論の準備として、『ナショナリズムの由来』（講談社）における大澤真幸の洞察を引いておこう。

　大澤の複雑かつ緻密な議論をあえて暴力的に要約すれば、ナショナリズムとは、国境内における平等やはるかな過去からの連続性といった時空間にまたがる普遍主義と、特定のネーションの規範への没入的帰属という特殊主義の交錯を、巧妙なしかたで調停するイデオロギーである。すなわちそれは、外的な攪乱要素（＝他のネーション）によってあらかじめ自らが限界づけられ、内破していることを自覚したうえで追求される、いわば穴のあいた普遍主義なのである。他方で、ナショナリズムの鬼子たるファシズムは、普遍性の領域をあからさまな特殊性で充填することから生じる。たとえばナチスにおいてアーリア人は、ひとつの人種でありながら、そのまま「人類」の普遍性と等置される。だが普遍性と特殊性のこの矛盾にみちた短絡は、「アーリア人＝

人類」の内部にぬぐいがたい他者として残存する異人種／異民族によって、つまり「自らの内なる敵」の不断のあらわれによって、つねにすでに脅かされている。

大澤の議論をスコープにして照準しなおせば、独ソ戦とウクライナ戦争のさらなる共通点が浮かびあがってくる。独ソ戦は、一見よく似た全体主義国家の同士討ちに見えるが、より詳細に眺めてみると、ドイツ国防軍の傘下にイタリア／ルーマニア／ハンガリー／ブルガリア／フィンランドなど多国籍軍を糾合した枢軸側と、開戦直後から「大祖国戦争」の名のもとに国民を鼓舞・動員したソ連一国の戦争であり、その意味で、アーリア人を普遍的範型とするファシズムの軍勢と、ソ連という特殊なネーションを防衛するために立ちあがったナショナリズムが激突した戦争だった。たとえばスターリングラード戦で南北両翼の前線を赤軍に破られてドイツ第六軍の包囲をゆるした脆弱なルーマニア部隊は、ヒトラー自身が認めたように枢軸側の「内なる敵」だったといえようし、一方で数十万ものソ連人女性が侵略の報を聞いて自発的に軍に志願したのは、あらかじめ「外なる敵」の存在を組みこんだナショナリズムの機制が有効に働いた結果だといえるだろう。ウクライナ戦争も同じ構図を反復している。ロシアという特殊性を普遍性に位置づけるプーチンのファシズムと、外敵の侵略から自国の自由と独立を守るため、全国民に徹底抗戦を呼びかけるゼレンスキーのナショナリズムの対決という構図だ。

歴史は、「内なる敵」の強迫観念に脅かされているファシズムを、「外なる敵」に団結して立ちむかうナショナリズムが凌駕することを証している。だが問題は、ウクライナ戦争の不透明な帰趣を拙速に占うことにはない。まず考えるべきは、日本の特殊性だ。正確にいえば、特殊性の失踪という日本の特殊性についてだ。

かつての大日本帝国は、大和民族という特殊性を「人類」の普遍性へと押しあげたうえで、「近代の超克」と「アジアの解放」を戦い取る盟主を僭称し、アジア諸国を自らに服従させようともくろむファシズム国家だった。第二次世界大戦の壊滅的敗北が、普遍主義と特殊主義を短絡する日本的ファシズムを解体したのはいうまでもない。だが敗戦後の日本は、アーネスト・ゲルナーやベネディクト・アンダーソンの議論を批判的に継承しつつ大澤が導出したような、ナショナリズムの一般的モデル――普遍主義と特殊主義の独特な交差――にしたがっていないように見える。敗戦後の日本の国家像は、ここまでのところ、プーチン的な意味での「主権」をアメリカに委ねたうえで、平和主義と経済発展の両輪を軸にして形成されてきたとまとめられよう。しかし端的にいって、こうした国家像には、ナショナリズムに不可欠な特殊性の契機が欠けている。アメリカへの「主権」の委譲だけではない。平和主義ほど普遍主義的な呼びかけがほかにあろうか？　資本主義もまた、大澤が分析するとおり、より高次の普遍性をめざす不断のダイナミズムを本質とする無人称のシステムではなかったか？

特殊主義が蒸発し、普遍主義だけで成り立っている国。――そんなのっぺらぼうめいた存在がありうるだろうか？　もしそんな国があるとしたら、ファシズムとナショナリズムが激しい戦火をまじえているウクライナ戦争にたいし、真摯な思考を凝らしたり、有効な解決策につながる実践を行ったりすることができるだろうか？[*4] 特殊性の失踪は、戦争にたいする日本人の想像力から「復讐の無限の連鎖」が失われたことと関係しているのだろうか？ それとも戦後日本のナショナリズムを構成してきた特殊性は、どこか目立たぬところに隠蔽されつつ、ひそかに歴史の暗渠を伏流してきたのだろうか？ あるいは、ウクライナ戦争のインパクトを受けとめた私たちが、日本の国のかたちを未来にむけて定めなおすとき、どの地点に普遍主義と特殊主義の交点を見出すべきなのだろうか？

本書を駆動するのは、これらの問いである。

＊1　ジェンダーの観点から見て興味深いのは、セラフィマの仇敵であるドイツ人狙撃兵ハンス・イェーガーの設定である。彼は包囲下のスターリングラードで、ソ連人女性であるサンドラと恋に落ちるが、愛情の証しとしてイェーガーがサンドラに与えるのは、婚約指輪に擬したリングと生きのびるための食料である。サンドラを保護すべき弱者ととらえるイェーガーの思考や態度は、河野のいう福祉国家モデル、すなわち〈稼ぎ頭（ブレッドウィナー）としての男性＋家事育児に専念する主婦〉という家庭単位で生活を保障する古いモデルに内属しており、こうした古風な愛の形態へのこだわりが、新自由主義的な競争モデルに適応したセラフィマに最終的に敗北する主要な原因ともなっている。映画『スターリングラード』にもイェーガーと同様の性差別の構図が見てとれる。そもそもこの映画は、リュドミラという名の女性兵士が、ザーイツェフの再三の警告にもかかわらず、敵狙撃兵の前で平静を保つことができずに怯えて逃げだしたところを射殺される場面を冒頭に配しているという点で、リュドミラ・パヴリチェンコをはじめとする女性兵士にたいするミソジニーが見てとれる。また、ユダヤ系の両親をドイツ軍に殺されて狙撃兵になることを志願するターニャという女性が登場するが、主役であるザーイツェフと彼の活躍をメディアで演出するコミッサールのダニロフとのあいだで剝きだしの性的対象としてやりとりされる彼女は、ザーイツェフとダニロフのホモソーシャルな関係を支える機能しか与えられていない。その意味でこの映画は、イヴ・セジウィックが『男同士の絆　イギリス文学とホモソーシャルな欲望』（名古屋大学出版会）で摘出したホモフォビアとミソジニーに塗りこめられたホモソーシャルな社会構造を自明視する、きわめて反動的な側面をもっている。

＊2　内面だけでなく、外見的にも彼女たちの美しさはくりかえし強調されている。たとえば、初登場のさいイリーナは「カーキ色の軍服を見事に着こなし、制帽(ピロートカ)を被った、黒髪の女性だった。／瞳の色も黒く、肌は対をなすように白い。精悍(せいかん)な顔立ちに、細身の体。それでいて屈強な兵士たちに比べても遜色(そんしょく)ない長身の、おそろしく美しい女性だった」と描写されている。女性兵士の美しさを過剰に強調することは、戦争や軍隊をロマン化してその暴力性を脱色するばかりか、ジェンダーに関わる複雑な問題をはらみうる。現在ウクライナ軍には数万人もの女性兵士が従軍しているとされるが、SNSなどで拡散される彼女たちの若々しく凜凜しい軍服姿は、軍事的ナショナリズムへの「女性性」の動員のあからさまな例となっている。こうした問題に関しては、自衛隊が一九九〇年代に「ワインレッド作戦」の名のもとで女性自衛官を地元のミスコンテストに参加させ、その優勝者を宣伝活動に利用した（「『ミス高知』は正真正銘の婦人自衛官」と題された『コンバットマガジン』一九九三年九月号掲載の写真では、制服姿でライフルの引金に指をそえた女性自衛官がさわやかに微笑んでいる）ことにひそむジェンダー問題を指摘する佐藤文香の議論を参照されたい（『女性兵士という難問　ジェンダーから問う戦争・軍隊の社会学』慶應義塾大学出版会）。

＊3　パヴリチェンコは父母に幼い息子をあずけたまま、前線での戦闘や宣伝活動といった軍務に精励したが、銃後で無事に暮らす息子からの手紙を受けとったさい、彼にもこの戦争について教えなければならないと考える。独ソ不可侵条約や、ヒトラーとの密約にもとづいた赤軍のポーランド侵攻や、バルト三国の火事場泥棒的な占領については回想録中にひと言も記さぬまま、彼女は息子に伝えるべき戦争

の本質を「わが国の人々を壊滅させるためにはじめられた戦争」と定義する。パヴリチェンコが命がけで戦うのは「わが国の人々」という大文字の主体のためであり、個人に限局された心情からではない。彼女の回想録だけでなく、『*Soviet Women in Combat*』でも『戦争は女の顔をしていない』でも、自らの親類や友人を殺されたことに報復したいという個人的な動機よりも、「わが国の人々」に攻撃をしかけてきた敵に復讐したいという大文字の意志が、女性兵士たちを軍への志願に衝き動かす主因だったことが読みとれる。一方で、家族を殺されたことへの復讐心が少女たちを戦場へ追いやったとする『同志少女よ、敵を撃て』の基本設定は、日本では「敵への復讐」という心情の激しさが、個人的な事情に基づくものでなければ理解されがたいということを示唆しているように思われる。

＊4　アメリカ連邦議会で演説したさいに、アメリカ国民に「復讐」を訴えかける歴史的符牒である「パールハーバー」に言及したゼレンスキーが、日本の国会演説では、ロシアの核兵器攻撃の脅しを自国が受けている状況下にもかかわらず、日本という国の歴史的特殊性を鋭角に表現する「原爆」の一語を発しなかったことは意味深長だ。

第二章　「半人間」たちの復讐　巨人たちは屍の街を進撃するか？

向こうにいる敵…
全部殺せば
…オレ達
自由になれるのか？

エレン・イェーガー『進撃の巨人』

1　三人の復讐者は、三発目の原爆をゆるすか？

『復讐者たち』（二〇二一年公開、ドロン・パズ／ヨアヴ・パズ監督）は、第二次世界大戦直後のドイツにおいて、ホロコーストの犠牲になったユダヤ人六百万の報復を、ドイツ人六百万の殺戮で果たそうとした実在のユダヤ人テロ組織「ナカム（ヘブライ語で『復讐』を意味する）」に材をとった映画である。

ドイツの敗戦後、収容所から帰還したユダヤ系のマックスは、生きわかれた妻子のゆくえをさがすうち、英軍ユダヤ人旅団のミハイルと知りあう。ミハイルはＳＳの残党や元ナチ党員を探しだして処刑する暗殺部隊の一員だった。妻子が虐殺されたことを知ったマックスは、ナチスへの復讐心からミハイルと手を組む。ミハイルにうながされてユダヤ人軍事組織ハガナーに入隊したマックスは、戦犯だけでなくすべてのドイツ人を復讐の対象とするナカムの内情を偵察し、水道水に毒を投じてドイツ人を無差別に殺害する「プランA」を妨害する任務を託される。

だがスパイとしてナカムに潜入し、「プランA」の首謀者アッバ・コヴナーの周辺をさぐるマックスは、しだいにナカムの過激な復讐心にとり憑かれてゆく。イスラエル建国の妨げになる大量虐殺を阻止しようとするハガナーと、あくまで「眼には眼を」の報復を完遂しようとするナカムのあいだで揺れ動くマックスは、アッバが持ちかえった毒液を——牛乳瓶に似た容器をみたす黒い毒液は、パウル・ツェランの詩「死のフーガ」の「黒いミルク」という不気味なリフレインを想起させる——自らの手でニュルンベルクの浄水場にそそぎこみ、汚染された貯水池に身を投げる。一瞬後、ドイツ人たちが累々と横たわる屍の街が暗い画面に浮かびあがる……。だが、じっさいにはアッバは毒物調達に失敗しており、おぞましい大量虐殺の映像はマックスが空想した歴史のイフにすぎなかった。物語は「プランA」の失敗を見とどけたマックスが、「故郷」パレスチナへ帰還するところで幕を閉じる。

『復讐者たち』には、三人の復讐者が登場する。まずは妻子を虐殺されたマックスの復讐がある。だがこれは、敗戦国の瓦礫にひそむ戦犯どもを狩りだして処刑するミハイルの復讐とイコールではない。ギャップを埋めるには二つの操作が必要だ。妻子の殺害者と元ナチらを「敵」の名のもとに一括する操作、そして妻子をユダヤ人犠牲者というカテゴリーに包摂する操作である。

しかし暗殺部隊の復讐とナカムの復讐にはさらなるギャップが存在する。前者は加害者個々を裁くのにたいし、後者はドイツ民族に集団的な加害責任を負わせ、敗戦時のドイツの人口六千六百万の約一割を無差別に殺害することをめざしているからだ。

マックスの私的な復讐心にたいし、シオニズムにルーツをもちイスラエル建国の中核となったハガナーに属するミハイルの復讐心はナショナリズムに由来している。だがアッバの復讐心は国家の枠を踏み越える。水という人間の生存にとって不可欠な物質を毒で汚染し、絶対的に無辜（むこ）な存在であるはずの乳幼児まで殺害するのは「敵」の絶滅をめざしたファシズム的なテロルであり、その意味でアッバの計画は、水が出るはずのシャワー室に毒ガスを充満させ、乳幼児をふくめたユダヤ民族全体の破壊をめざしたナチスの「最終解決（エンドレーズング）」と表裏をなしているからだ。

だがもちろん、マックス／ミハイル／アッバ三者三様の復讐心はホロコーストがなければ生じえなかった。ヒトラー率いるナチスがユダヤ人を〈人間の顔をした寄生獣〉として社会から放逐し、誰からも生を望まれない「半人間」として絶滅作戦の毒牙にかけたことが、三人の復讐者を生みだしたのだ。

一方、日本は第二次世界大戦で二発の原爆を落とされた。ヒトラーのドイツと枢軸を組んだ大日本帝国が、アジアの諸民族を迫害／支配した負の歴史を忘れてはならないものの、無警告での原爆投下が、戦争の早期終結や犠牲者の最少化といったアメリカ側のタテマエの裏で、直下の都市に住む数十万の人びとを生きるに値しない「半人間」の群れとして鏖殺（おうさつ）するというレイシズムをはらんでいたのは疑えない。では日本人は、自らを〈人間の顔をした猿〉と決めつけて絶滅兵器を放った敵に、どのような復讐を誓ったのか？

『憎悪と愛の哲学』（角川書店）で、真の愛は憎悪とともにあるという逆説を論じる大澤真幸は、森有正（ありまさ）が『木々は光を浴びて』（筑摩書房）に記した「三発目の原爆」をめぐるエピソードを紹介している。フランス人女性との会話で、三発目の原爆はどこに落ちるかが話題になったとき、その女性は日本人である森に、三発目も日本だと断言した。広島と長崎に二発も原爆を落とされたのに、日本はアメリカにまったく抗議していない。敵への憎しみをこれほど欠いた国なら、また原爆を落としても復讐されないはずだから、というのがその理由だ。大澤がいうように、この話は敗戦後から現代までつらなる日本人の特異な心性を射貫（いぬ）いている。原爆を投下したアメリカにたいする日本人の憎悪が著しく小さいことは、敗戦直後にアメリカの戦略爆撃調査団が行った調査データによって統計的に裏付けられる（大澤前掲書）。アメリカに憎しみを感じると答えた者は、日本全国ではわずか十二パーセント、被爆地の広島と長崎ですら十九パーセントと、圧倒的な少数派なのだ。

　こう問うてみよう。先の三人の復讐者は、三発目の原爆をゆるすだろうか？　――ＳＳの銃弾でなく原爆で妻子が殺されたことを知ったら、マックスは復讐をあきらめただろうか？　ユダヤ人を焼いたのが絶滅収容所の焼却炉（クレマトリウム）ではなく原爆の熱線だったと知ったら、ミハイルは加害者の追及をやめただろうか？　乳幼児をふくむ六百万の同胞を虐殺したのが毒ガスではなく核兵器だったとしたら、アッバは敵の殲滅を断念しただろうか？

　これらの問いに関し、作中でマックスが見るニュース映画の構成は、興味深い示唆をあたえてくれる。冒頭で、ニューヨークのタイムズスクエアを埋めつくした大群衆が日本降伏に歓喜するさまが映しだされる。「二日間のお祝いで、われわれは平和を実感し、そして新たな宇宙の力、原子爆弾を生みだした世界にむきあいました」というナレーションの直後、暗く反転した画面にクローズアップされるのは、痩せこけた裸の屍が積み重なるナチスの収容所だ。復讐の連鎖を断ち切る福音としての原爆と、ユダヤ人の復讐心を煽りたてる絶滅収容所は、ここで歴史的な対位法を形成している。だが両者のはざまで見えなくなっているものがある。広島と長崎の被爆者たちだ。「復讐の断絶」を約束する原爆と、「復讐の連鎖」を駆り立てるホロコースト、これら二十世紀を象徴する二つの巨大な暴力の交点において、被爆国である日本が、その復讐心もろともゆくえ知れずになっているのだ。

　日本人の復讐心はいったいどこへ行ったのか？　――敗戦直後から現在にいたる小説・漫画・映画・アニメにあらわれた「半人間」の表象を手がかりに、そのゆくえを追ってみよう。

2 「あなた、ころしたくないの?」

ＧＨＱによる検閲が本格化する前の、一九四五年八月三十日付『朝日新聞』に、大田洋子は「海底のような光――原子爆弾の空襲に遭って――」というエッセイを寄せている。原爆被害の実相をいち早く伝えたこの文章で、大田は「広島市が一瞬の間にかき消え燃えただれて無に落ちた時から私は好戦的になった。かならずしも好きではなかった戦争を、六日のあの日から、どうしても続けなくてはならないと思った。やめてはならぬと思った」と書いている。奇妙な決意表明だ。原爆の凄まじい惨禍に日本人が彼我の国力の圧倒的な差を思いしらされ、無条件降伏を余儀なくされたその直後に、当の被爆者がいわば周回遅れの「宣戦布告」を叫んでいるのだから。

奇妙な屈折は、五年後、あるねじれをともなって反復される。周囲の被爆者たちがばたばた原爆症に斃(たお)れるなか、文字どおり死にものぐるいで書きあげた『屍の街』のオリジナルヴァージョンの出版をようやく勝ちとったとき、大田はその序文に「勝利宣言」ではなく「敗北宣言」を書きつけているのだ。

私は「屍の街」を小説的作品として構成する時間を持たなかった。その日の広島市街の現実を、肉体と精神をもってじかに体験した多くの人々に、話をきいたり、種々なことを調べたりした上、上手な小説的構成の下に、一目瞭然と巧妙に描きあげるという風な、そのような時間も気持の余裕もなかった。

私の書き易い形態と体力とをもって、死ぬまでには書き終らなくてはならないと、ひたすら私はそれをいそいだ。

いま改めて出版するにあたって、熟読して見ると、私の体験は、一九四五年八月六日に広島全市に展開された、異常な悲惨事の現実の規模の大きさと深刻さに比べ、狭少で浅いことを、今更つよく感じないではいられない。


命がけで書きあげた『屍の街』が、数十万の人びとを死の世界へ投げこんだ広島の惨禍に追いついていないことを、大田は認めざるをえなかった。原民喜が「夏の花」に刻んだ「このことを書きのこさねばならない」という決意とならび、「いつかは書かなくてはならないね。これを見た作家の責任だもの」という『屍の街』のセリフはよく知られている。だが原が「けれども、その時はまだ、私はこの空襲の真相を殆ど知ってはいなかったのである」と直後の一文ですぐさま原爆を書くことの不可能性を吐露せねばならなかったように、大田もまた原爆にたいする文学の「敗北」をあらかじめ読者に告げねばならなかった。

いや、そうやって原と大田を均してしまえば、原爆投下によって「私は好戦的になった」と逆張りし、敗戦直後にアメリカにあらためて「宣戦布告」した大田の本領を見誤ってしまう。両者の差異に注目すべきだ。「敗北宣言」にすら「宣戦布告」をすべりこませずにはいない大田の「好戦性」にこそ注目すべきなのだ。

引用部で言及された「小説的作品」——多くの被爆者に話を聞き、さまざまな調査を重ねたうえで、広島を襲った災厄がはらむ多面的なリアリティを、巧みな小説的構成のもとに再現する——は、大田が被爆してから二十年後、『屍の街』の序文を書いてから十五年後、そして彼女の突然の客死から二年後の一九六五年に井伏鱒二によって書きはじめられる『黒い雨』をきわだった解像度で予告している。そして、「書かねばならぬ」という作家の信念と「書くことはできぬ」という被爆者の苦悶に引き裂かれてのたうちまわる大田は、『黒い雨』のような作品があらわれるのを予見しつつ、その「上手」と「巧妙」と「一目瞭然」をあらかじめ批判しているように見えるのだ。『黒い雨』へむけて放たれたこの「宣戦布告」は、「好戦的」であるがゆえに数多の「敗北」にまみれた人生をおくった大田の作品が死後にこうむるであろう排除と忘却の力学にたいする、十五年の時を飛びこえる先制攻撃として読まれねばならない。

近代文学研究者の川口隆行は、「夏の花」『黒い雨』の高校国語教科書への採録と、二作を叙述の起点と終点に配した長岡弘芳の『原爆文学史』（風媒社）などの上梓が集中した一九七三年〜七五年に「原爆文学」というジャンルの成立を見ている（『原爆文学という問題領域』創言社）。この文学史的事件の黒衣に擬されるのが、江藤淳と大江健三郎だ。

　原の「夏の花」や大江の『ヒロシマ・ノート』などをあげつつ、「私はもともと原爆小説というものがすきではない。それどころか原爆のことを書いたり話したりするのもはばかりたい」と皮肉っぽく記す江藤は、しかし『黒い雨』については、原爆投下という異常な出来事にたいして「平常心をつらぬき通している」と絶賛する。たいする大江は、「夏の花」をアブノーマルと貶めつつ『黒い雨』のノーマルさをもちあげる江藤の言説戦略に反発し、「被害者としての平常心」を「夏の花」に見出すことで、江藤のキーワードを逆手にとって二作を同列に置く。こういってもよい。被爆者作家による原爆小説の即自態である「夏の花」と、非被爆者作家の書いた対自態としての『黒い雨』の対立が、「原爆文学」という名の公的なアーカイヴへ止揚されるあざやかな弁証法を、江藤と大江は対立しつつも共同で戦後文学史に書きしるしたのだ。

　だがジル・ドゥルーズが「ルサンチマンのイデオロギー」と呪詛した弁証法はマイナー文学を抑圧する。川口が指摘するように、そしてつとに『原爆文学史』で長岡が強調していたように、江藤と大江が共作した弁証法は、オーソライズされた「原爆文学」から大田洋子を追放し、彼女の諸作品を忘却の淵へ押しやった。

　大田の追放には家父長制的なジェンダー規範が働いている。たとえば『黒い雨』の矢須子は、父親がわりの叔父の重松にどこまでも従順な娘である。重松のいうがまま徴用逃れで広島に移り、重松について被爆直後の市街をさまよい歩き、原爆症を発症したのちも怨みや嘆きを口にすることなく、ひたすら苦痛を受忍する矢須子を、河上徹太郎は「根っから人のいい中流の村娘である。叔父叔母によく事え、その愛撫に値する処女だ」(「『黒い雨』について」新潮文庫『黒い雨』解説)と、あからさまに性差別的な口吻で評している。矢須子の考えも聞かぬまま彼女の縁談を善導しようともくろむ重松の独りよがりな態度に透けているように、『黒い雨』は、成熟した判断力をそなえた男性の指導に盲従することで、未熟な「半人間」たる女性ははじめて幸福を得られ、良妻賢母という正しいゴールへむかうことができるという、当時「平常」と見なされたジェンダー規範につらぬかれた作品だ。

大田はこうした家父長制の縛りから大きくはみだす「異常者」だった。幼時に両親の離婚を経験し、自らも母と同じく三度の結婚と離婚をくりかえす流転の生涯を送って、自分勝手で激しやすい気性から人間関係のトラブルが絶えなかった大田は、ひたすら苦しみに耐える「原爆乙女」とは真逆に位置する異分子として、「非被爆者の平常心」と「被爆者の平常心」をともに攪乱しつづけた。文壇を支配するジェンダー規範を掻き乱すトラブルメイカーとして、大田は「原爆文学」のナショナルな共同体から追放されたのだ。

ジェンダー・トラブルにとどまらない。「平常」な日本人像にたいして大田は多面的な異物でありつづけた。被爆者女性であるだけでなく、不安神経症患者であり、薬物中毒者であり、複数の内臓疾患をかかえた病人であり、家庭をもたぬ放浪者であり、小説家という非正規労働者でもあった大田は、こうしたインターセクショナルな被差別者の立場から、自らを排斥する「平常」

と戦いつづけた。その大田の「好戦性」を支えたのが、「敵」にたいする激しい復讐心である。復讐心の強度こそが大田の作品を他の「原爆文学」から隔てる指標であり、『屍の街』をはじめとする作品群が忘却の淵へ投げこまれた大きな理由もそこにある。

つとに「海底のような光」で「あの爆弾は戦争を早く止めたい故に、使った側の恥辱である」と断罪していた大田は、『屍の街』で「原子爆弾をわれわれの頭上に落したのは、アメリカであると同時に、日本の軍閥政治そのものによって落されたのだ」と「敵」をはっきり名指ししている。「夏の花」には「愚劣なものに対する、やりきれない憤り」という文言があるが、「愚劣なもの」という表現は「敵」を名指すというよりむしろ隠蔽している。『黒い雨』の「わしらは、国家のない国に生まれたかったのう」という兵士のつぶやきや「戦争はいやだ。（中略）いわゆる正義の戦争よりも不正義の平和の方がいい」という重松の独語は反戦の願いを凝縮した名言とされるが、「国家のない国」「不正義の平和」という韜晦的な逆説は、「敵」の顔貌を朧化している。「敵」のいないところに復讐はない。じっさい「夏の花」と『黒い雨』は復讐心とは無縁の作品であり、この両作を軸にナショナルな「原爆文学」が結晶した事実は、私たち日本人が、死者の怨念や被爆者の憎悪をはねのける結界を「原爆」の周囲に張りめぐらせたことを証していないだろうか？

一九五四年に発表された大田の中篇「半人間」は、多様な復讐の叫びを解き放つことにより、その結界を狂おしく攪乱する問題作である。動物／人間の境界線上のアブノーマルな存在を示唆する「半人間」という言葉は、まずは強迫的に反復される原爆の記憶によって薬物中毒と不安神経症におちいり、ぶ厚い扉で隔離された精神病棟で十数日も「なまこ」状態になる睡眠治療をうける小田篤子（大田の分身）を指している。自らを「原爆作家」と決めつける日本社会に篤子は反発し、国籍を棄てたいとすら念じているが、それでもおのれの心身に喰いこんだ原爆から一瞬たりとも眼をそらすことはできない。

だが「半人間」は篤子だけではない。それどころか、医師以外はほぼ女性ばかりで占められた作品世界には、「半人間」しか棲んでいないのだ。

篤子の家事婦である竹乃は、不倫相手の医師に棄てられ、新興宗教にのめりこむ中年女だが、青酸カリによる心中を篤子にもちかけたあげく、小説の最後で縊死をはかる。婚約者の不義にまつわる嫉妬妄想から「分裂症」を発した久留は、附添婦たちが「この人、だれ？」と問いかけても「人間」としか答えられない。失業中の夫と三人の子どもをかかえた福井キミは、夫のなけなしの退職金や家財を売り払った金を新興宗教に献金してしまう。貧と病のどん底で「ああ、くるしい。ころしてくださいよ、ころして」と訴える福井を、彼女の附添婦は「だまってねていればころしてやるよ」と冷たく突き放し、あからさまな虐待をくりかえすが、その附添婦自身も精神病棟の患者なのだ。篤子の友人の戸川由紀は原爆症の恐怖におののきつつストリッパーの家で女中をしている。同じ病院の整形外科には「原爆娘」たちが入院しているが、そのなかには「見るに耐えぬ怪奇な顔」をした篤子の知人もいる。「娘の下唇は唇の形をうしない、歯茎をむきだして下に大きく垂れ下ったまま、とじることができなかった。食べるものがはしからこぼれ出て、膝に落ちた。篤子は吐きそうになった。娘と食事をするたびに、吐気がきたが、無理矢理たべた」……。

焼け跡での売春（あるいはレイプ？）の結果「黒い赤ん坊」を生んで気がふれた南千佐子は、外国人を殺したいという衝動に苦しんでいる。「わたし、赤ん坊がだんだん黒くなったとき、あたまがへんになったでしょ。そのときはX病院にいれられていたの。あそこにはひどいひとがたくさんいましたわ。外国兵にもらった悪い病気で、完全にくるったのがいたの。それがとっても美しいひとでね、よけい惨めに見えたわ。なんでも気にくわないことがあるとね、ところかまわず、おしっこやうんこしちゃうんですよ。その人を見てると、わたし、どうしても日本人以外の人をころしたくてころしたくて」。そう打ち明けながら、千佐子は篤子に問いかけるのだ。「あなた、ころしたくないの？　原子爆弾をつかったやつ」――。

ジュディス・バトラーは、他者への依存なしに生がありえない以上、生は本質的に「不安定さ（プレカリティ）」「傷つきやすさ（ヴァルネラビリティ）」をかかえているとしたうえで、社会的／経済的ネットワークを特定の集団から奪いとり、彼らを「失ってもよい人びと」「哀悼される価値のない人びと」として剝きだしの暴力にさらす戦争の枠組を批判している（『戦争の枠組　生はいつ嘆きうるものであるのか』筑摩書房／『非暴力の力』青土社）。バトラーに共鳴しつつ、帝国的性暴力を駆動する「恥辱」という情動に着目する内藤千珠子は、疎外され他者化された「娼婦」的身体に恥辱／国辱を一方的に押しつけることで、帝国の内部に渦巻く恥辱を隠蔽しようとする差別のメカニズムを摘出している（『「アイドルの国」の性暴力』新曜社）。バトラーや内藤が指摘するこうした差別の構造を、「半人間」は息苦しいほどのなまなましさで描きだしている。「半人間」として社会から追放された女たちを苦しめる原爆症・精神疾患・薬物中毒・貧困・カルト宗教・人種差別・性収奪・虐待・希死念慮といった多様な「不安定さ（プレカリティ）」は、そもそも日本人全員が負うべき敗戦というナショナルな傷に由来するものなのに、精神病棟の扉の外に住まう人間たちは、「原爆作家」とその周囲の女たちにあらゆる「恥辱」を押しつけ、彼女らを「非存在の領域」（フランツ・ファノン）に追い落として不可視化することで、自らの「平常」な暮らしを購（あがな）っている。墓穴のうえに築かれた「平常」を、生き埋めにされた女たちの声が撃つ。「あなた、ころしたくないの？」——。

食べものをぼろぼろ口からこぼし、犬のように人前で排泄してまわる女たちの姿は、そのあまりの悲惨さゆえに、彼女らを「半人間」へおとしめた「人間」にたいする怒りを掻きたてる。他の作家たちが書くことを忌避した剝きだしの復讐心を紙上にたたきつけた大田が、「原爆作家」と揶揄される一方で「原爆文学」の埒外へ追放された理由は、その憎悪と怒りの強度にある。そして、復讐心を忘れさることは、その忘却が隠蔽する差別の構造そのものを忘れさることだという事実を忘却しているかに見える現在の日本人に、大田の復讐心が鋭く刺さる理由もここにある。

だが大田は、複合的なマイノリティの立場からつかみとった激しい復讐心に囚われるあまり、生のはらむ「不安定さ（プレカリティ）」を介した他者との連帯（バトラー）や、「恥ずかしさ」を自他で分有することから生じる情動的つながり（内藤）へ踏みだしてゆくことができなかった。「原爆作家」「半人間」というカテゴリーがはらむ差別性を指弾しつつも、いつしかそこに自らのアイデンティティを固着させていった晩年の大田は本質主義の罠に陥ってしまったように見える。ビキニ水爆実験の凶報を耳にした大田は、「水爆実験があって、東京に死の灰と云われるものがふって来た。（ざまを見ろ）と私は思った。死の灰にまみれて、ぞくぞくと死んで見るとよい」と、全世界に呪言を投げつける（「半放浪」一九五六年）。

「海底のような光」や『屍の街』を書いた時点では被爆という私的な体験から発していた大田の復讐心は、「半人間」において、多様なマイノリティに排他的な暴力をくわえるアメリカと日本のナショナリズムをラディカルに批判するにいたった。だが水爆実験の被害者に「ざまを見ろ」といってのける大田は、非被爆者の絶滅を願うファシスト的な憎悪に呑みこまれてしまったように見える。

復讐心を真正面から見すえたうえで、そのかなたをまなざすことはできないか？――ナショナルな「原爆文学」から追放された大田の「原爆小説」は、忘却のヴェールごしに、この重い問いを私たちに突きつけてくる。

3 「ギギギ」の暴力論

『はだしのゲン』（汐文社／以後『ゲン』と表記）が、広島の原爆で父と姉と弟を殺され、戦後に妹と母をも原爆症で奪われた中沢啓治の自伝的作品だということはよく知られている。だが中沢は被爆の惨状を目撃して「このことを書きのこさねばならない」と誓ったわけではない。むしろ逆だ。六〇年安保の直後に漫画家を志して上京した中沢は、当時の心境をこう綴っている（『「はだしのゲン」自伝』教育史料出版会）。

> 毎年、夏がくると「原爆！　原爆！」とマスコミ等が騒ぎたて、私の気持ちは落ち込んで暗くなった。嫌でも広島での体験がよみがえり、やりきれない気持ちにさせられた。そして、自分が被爆したことで、なにか悪事を働いたような錯覚を覚えた。世の中の迷惑人間のように見る東京人の目の嫌らしさには、本当に腹が立った。有楽町などで原水爆の禁止署名活動をしている被爆団体の人たちと出会い、「この人たちは、よく堂々と人前に出て行動できるものだ……」と敬服した。私には、とてもそんな勇気はなかった。（傍点引用者）

大田洋子の突然死とほぼ同時期のことを書いたこの文章の、とりわけ傍点を付した箇所は、敗戦の象徴である原爆を「恥辱（スティグマ）」化し、被爆者たちを「半人間」と見なして戦後社会から追放しようとする差別の力学を中沢が内面化していることを示している。大田の怒りと復讐心を忘却の墓穴に蹴りこもうとする戦後日本の策動に、被爆者でありながら、いや被爆者だからこそ、すすんで中沢も加担していたのだ。

その中沢を復讐へと衝き動かしたのは、一九六六年に原爆症で亡くなった母をめぐる二つのショッキングな出来事だった。母の死を聞きつけたＡＢＣＣ（原爆傷害調査委員会）の職員が、母の内臓を「標本」化しようとしたことと、荼毘（だび）にふされた母の骨が放射能汚染でほとんどかたちをとどめぬほど崩れていたことである。家族をつぎつぎに殺し、死後も母から尊厳を奪いとる原爆に怒りをつのらせた中沢は、「わが中沢家の怨みを晴らしてやる」という激情から、わずか一週間で「黒い雨にうたれて」を描きあげる。原爆症で余命わずかと知った殺し屋・神（じん）が「原爆を落とした奴らを一人のこらずぶっ殺してやろう」と決意し、アメリカ人たちを射殺してゆくこのハードボイルド劇画は、『漫画パンチ』（芳文社）に掲載されるや大きな反響を呼び、中沢は「黒いシリーズ」と総称される原爆漫画（『黒い雨にうたれて』ＤＩＮＯ　ＢＯＸ）に「中沢家の怨み」をたたきつけていった。

「黒いシリーズ」は『ゲン』の多くを先取りしている。原爆による大量虐殺と原爆症の恐怖、戦争／原爆の責任者にたいする復讐心といった大枠だけではない。被爆直後の広島は『ゲン』同様、皮膚のめくれ落ちた両手を幽霊のように前にさしのべてよろぼう者たち、ケロイドで顔面がどろどろにただれた者たち、顔や手に大量のガラス片を突き刺した者たち、倒壊した家に潰されて焼け死ぬ者たち、あおむけに川に浮かぶおびただしい死者たち、死体を這いまわるウジと飛びかう蝿の大群といった凄惨なイメージに埋め尽くされ、そしてこれも『ゲン』と同じく、被爆者の眼は黒く塗り潰されている。登場人物たちのセリフは『復讐者たち』の三類型を網羅しているが、[*1]それらのセリフも『ゲン』で反復されることになるだろう。

とはいえ「黒いシリーズ」と『ゲン』には大きな断絶がある。青年むけ劇画と少年漫画のちがいではない。短篇と長篇のちがいでもない。「黒いシリーズ」が戦後の視点から被爆時をピンポイントで回想しているのにたいし、『ゲン』は被爆前の広島から描きおこされ、原爆投下がいまここの現在として目撃されるという時間構造のちがいでもない。『ゲン』は、「黒いシリーズ」から原爆への復讐心を受けつぎつつも、「黒いシリーズ」と同列の原爆漫画には還元されえない過剰さを多方向に放電しているのだ。

成田龍一は『増補「戦争経験」の戦後史　語られた体験／証言／記憶』（岩波現代文庫）で、戦争の語りを「体験」「証言」「記憶」という三つのフェーズに即して分析したが、「証言」の時代から「記憶」の時代への過渡期である一九七〇年代～八〇年代に自己形成した世代の研究者たちが、漫画／アニメ／映画／ゲームなどサブカル的なメディアをつうじて構築された自らの「戦争体験」の内実をさぐる準拠点として『ゲン』をとらえ、多彩な角度から分析をこころみた論集に『「はだしのゲン」がいた風景　マンガ・戦争・記憶』（吉村和真・福間良明編著　梓出版社）がある。『週刊少年ジャンプ』（以後『ジャンプ』と表記）に一年あまり連載されたのち、市民運動の論壇誌『市民』、共産党の論壇誌『文化評論』、日教組の機関誌『教育評論』と発表媒体を移すプロセスがもたらした『ゲン』受容の変化や（福間良明「「原爆マンガ」のメディア史」）、『ジャンプ』誌面で反戦漫画である『ゲン』と戦闘機プラモデルの広告が見開きに平然とならんでいるクィアさ（表智之「マンガ史における『ゲン』のポジション」）など、興味深い論点が数多く取りあげられている。

器（メディア）の雑多さだけでなく、内容的にも『ゲン』は過剰だ。『『はだしのゲン』を読む』（河出書房新社）では、「反戦反核」「平和主義」といったわかりやすいイデオロギーへの回収を拒むテクストの強度が縦横無尽に論じられている。ゲンが必殺のアッパーカットで悪漢をぶっ飛ばし、ヤクザどもに隆太がハジキをぶっ放すハードコアな不良漫画（相澤虎之助）。ホッブズ的な自然状態に陥った敗戦後の状況をいかに生きのびるかを描いたアナーキーなプロレタリア漫画（マニュエル・ヤン）。無数の替え歌をはじめ民話的想像力のポリフォニーが横溢するフォークロア漫画（呉智英と彼の引用する大江健三郎）。敗戦後の広島に吹き荒れた暴力に肉迫する漫画版『仁義なき戦い』（佐々木中／酒井隆史＋ＨＡＰＡＸ）。ネット上でのパロディや二次創作を煽る萌え系要素の宝庫（1995 Gen Production　管理人・みち）……。

これら多様な読解の可能性のうち、ここでは暴力表現にフォーカスしてみよう。平和漫画とされる『ゲン』は、じつは剥きだしの暴力をくりかえし見せつける極めつけの暴力漫画なのだ。

そもそも「殺す（作中では「殺しゃげたる」という広島弁によりインパクトがさらに増している）」「死ね」「シゴウしゃげたる（広島弁でリンチしてやるの意）」といった剣呑なセリフがこれほどの頻度で飛びかうのは、戦闘漫画以外ではあまり例を見ないのではないか。しかもそれらのセリフは脅しや冗談ではなく、多くの場合刃物の突きや振りおろしをともなった「本気」の言葉なのだ。物語が始まるやいなや（汐文社版第1巻45ページ）、警察による夫の拷問に関与した町内会長を追いかけるゲンの母は、転んだ相手にむけて、逆手にもった包丁を「死ねーっ」という絶叫とともに振りおろす（朝鮮人の朴（ぼく）さんが羽交い締めにして制止しなければ母は殺人犯になったはずだ）。これに懲りることなく、わずか40ページほど先で母はふたたび包丁を握りしめ、予科練に志願するという長男の顔面めがけ、「どうしてもいくというならかあさんおまえを殺すよ」と鋭い突きを放つ。母だけではない。「手と足をきりおとしてやる」と志願兵相手に短刀をふりまわす特攻兵（第1巻144ページ）もいれば、ゲンをとりかこんで鎌で切りかかる少年たち（第3巻60ページ）もいる。ゲン自身も、母を殴った業つくばりな老婆に「おどれみたいなくそばばあは殺しゃげたる」とナタを振りおろすし（第3巻89ページ）、レイプされた復讐に米兵から金を搾りとる道を選んだことを非難する妹に、パンパンの姉は「おまえを殺しゃげたる！」「死ね道子」と叫びつつ逆手にもったナイフを振りおろす（第4巻154～155ページ）。戦後民主主義の「正典」とも目される『ゲン』だが、「死ねーっ」と叫んで刃物をふるう殺意まるだしの暴力行為が、女性や子どもたちをふくめこれでもかとばかりくりかえされる光景は、平和と人命の尊重を掲げる戦後民主主義にとって、この世の終わりにひとしい地獄絵図ではないのか？

独創的なオノマトペが漫画表現を活性化させる事実は、『ゲン』と同じく核戦争後のアナーキーを背景にした『北斗の拳』にあきらかだが、『ゲン』では極限的な苦痛の相のもとに放たれる「ギギギ」という不気味なうめきが暴力の凄まじさをきわだたせる。「ギギギ」の初出は、倒壊した家に圧し潰されたゲンの父と姉と弟が火に巻かれるシーンだが（第2巻2ページ）、その後も闇市でヤクザに半殺しにされるゲン（第4巻99ページ）、ヤクザに隆太の居場所を詰問されて舌を噛み切る勝子（第5巻94ページ）、麻薬中毒になって悶え苦しむムスビ（第10巻141ページ）にいたるまで、多くの者たちが「ギギギ」の暴力にとらえられる。そして彼らの「ギギギ」を耳にした者らは、その凄絶な苦しみにたいする復讐を誓うのだ。

とはいえ「ギギギ」は、原爆やリンチや麻薬といった負の暴力だけにあたえられた符牒ではなく、正負の価値づけを超えた根源的な暴力をも表象している。被爆当日、夫や子どもたちを見殺しにしたショックで産気づいた母が路傍で娘を出産するときも、母の口からは「ギギギッ」といううめきがもれてくるのだ（第2巻12ページ）。ハンナ・アーレントは、新たな〈はじまり〉を創設する人間の自由の象徴を「出生」という出来事に見てとったが、「出生」という〈はじまり〉は、世界という荒野に無力な肉を産みおとす暴力と、母親の肉を胎児が内側から引き裂く暴力という二重の暴力のからまりでもある。生と死の閾に生じる原初の暴力が自由をもとめて発する叫び、それが「ギギギ」なのだ。「原子爆弾秘話」の副題を付した詩「生ましめんかな」で、栗原貞子は「かくてくらがりの地獄の底で新しい生命は生まれた。／かくてあかつきを待たず産婆は血まみれのまま死んだ。／生ましめんかな／生ましめんかな／己が命捨つとも」とうたったが、生死の交錯する被爆直後の地下室でも、暴力と自由のはざまで軋む幾筋もの「ギギギ」が激しい不協和音を鳴らしていたのではなかったか？

作画面で眼をひくのは、「黒い目の被爆者」と「白い目の迫害者」のコントラストである。吉村和真は『『はだしのゲン』のインパクト』（『「はだしのゲン」がいた風景』）で、『ゲン』の残酷表現の核心を「黒い目の被爆者」に見出している。被爆者の目を黒く塗り潰す中沢の表現について、吉村は「マンガの目が登場人物の内面を描き出すうえでポイントになることを考慮すれば、その人物がすでに生気を失ったことを、言い換えれば、たとえまだ生きていたとしても、もはや助からないことを、読者に予感させる効果を持つ」と指摘する。

ナチスの収容所において「ムーゼルマン」と呼ばれた人びと——苛酷な状況下で心身が崩壊し、生ける屍と化した被収容者たち——こそが完全な証人であるというプリモ・レーヴィの言葉を導きの糸に、ジョルジョ・アガンベンは「証言しえない者の証言」というパラドクサルな真理を「人間」と「非人間」の閾にさぐった（『アウシュヴィッツの残りのもの　アルシーヴと証人』月曜社）。中沢の「黒い目の被爆者」は、「目」という内面表現の中心をくりかえし塗り潰すことで

（吉村によれば「黒い目の被爆者」は延べ総数一七九七人にのぼるという）、原爆によって「半人間」におとしめられた者たちの苦しみを、パラドクサルなかたちで証画しようとするものだ。他方、ゲンたちを共同体から追放しようとする者らの暴力は、目の輪郭に瞳を入れず白抜きのままにした「白い目の迫害者」として表象される。ゲンの父を非国民と罵る町内会長たち（第1巻14ページ）、兄を殴る特高警察（第1巻94ページ）、志願兵を自殺に追いこむ予科練教班長（第1巻207ページ）、上陸してきた米兵（第4巻20ページ）だけでなく、ゲンと母に襲いかかる犬の目も白い（第3巻8ページ）のを見ると、「人間」を「半人間」へ突き落とそうとする暴力の獣性を表象するために「白い目」が採用されたと考えられる。

　暴力漫画としての『ゲン』は、「黒い目の被爆者」と「白い目の迫害者」のはざまで生きぬこうともがくゲンたち「瞳をもつ生存者」の、暴力と自由の歯軋(はぎし)りである「ギギギ」に鼓舞された闘争を描きだす。その闘争に無尽蔵のエネルギーを備給するものこそ、家族を奪った原爆と、惨禍の責任を負うべきアメリカ人や天皇や軍部らと、被爆者を差別するこの世界の悪意にたいする飽くなき復讐心にほかならない。

*

「ギギギ」が鳴り響かず、「黒い目の被爆者」と「白い目の迫害者」が出現せず、「死ねーっ」と振りおろされるナイフのない原爆漫画。――『ゲン』の登場から三十年後の二〇〇四年に刊行され、手塚治虫文化賞新生賞と文化庁メディア芸術祭マンガ部門大賞のダブル受賞という高評価のもとベストセラーとなったこうの史代の『夕凪の街　桜の国』（双葉社／以後『夕凪の街』と表記）の特徴をひと言でいえばそうなるだろう。

『ゲン』は少年漫画誌という一九六〇年代に勃興したメディアに連載されて注目を集めたが、川口隆行は『夕凪の街』の大ヒットも二十一世紀の新メディアであるインターネット――とりわけ2ちゃんねるへの膨大な書き込み――に負うところが大きいと指摘する（『原爆文学という問題領域』）。新興メディアの雑多な活気に鼓舞されたという共通項はもちつつも、カバーを見くらべるだけでわかるように、両作は原爆をはさんで対極的な位置にある。『夕凪の街』にたいする「穏やかな」「日常の視点の」「絶叫調ではない」「反戦や反核を声高に叫ぶのではない」といったネット上の称賛は、『ゲン』のどぎつくあからさまな表現を仮想敵としたものだと看破する川口は、「平常心」をキーワードに『黒い雨』を特権化しようとした一九六〇年代における江藤淳らの言説戦略が、ネットのハイパーテクスト性に乗じて反復されていると見る。被爆者である中沢が原爆の怖ろしさや差別の苛酷さを原や大田と共有する一方で、広島に生まれ育ちながらも被爆者でも二世でもなく、まずは原爆について調べることからはじめざるをえなかったこうのは非被爆者の井伏とポジションがかぶる。また、連載という形式のせいもあるだろうが、異常でグロテスクな事件がぞくぞくと出来する『ゲン』の「絶叫調」にたいし、『夕凪の街』は原爆症に苦しむ皆実（みなみ）たちの日常を、せつない恋愛を軸に穏やかに綴っている点も、『屍の街』vs.『黒い雨』という図式とシンメトリカルだ。

両作のコントラストは作者のプロフィールや全体のトーンだけでなく、あらゆる細部におよんでいる。肉太の輪郭線で描かれ、つねに握られっぱなしの拳やガニマタで跳びはねる両足にアクションへの不断の衝動をみなぎらせているゲンにたいし、細く流れる描線でやわらかく縁取られた皆実は、ほとんどのシーンで身体をゆったり脱力させている。アップショットを多用し、背景を効果線やベタやトーンで埋め尽くす『ゲン』にたいし、デジタルやトーンはいっさい使わず、愚直にカケアミをペン描きする『夕凪の街』は、全体に白っぽい絵面（えづら）が印象に残る。地に吸いついた水平の構図とシンプルなコマ割りで勝負する『ゲン』にたいし、『夕凪の街』は洗練された巧みなコマ割りにくわえ、垂直性を強調した構図――たとえば「横書き」のなかにいきなり「縦書き」を挿入するように天地と左右を回転させつつ、極端に縦長のコマの底にうずくまる被爆者集団からコマの上方へ逃れようとする皆実を描いた23〜24ページを見よ――を効果的に用いている。

『ゲン』の世界は「黒い目の被爆者」と「白い目の迫害者」の両極に縁取られていた。たいして『夕凪の街』の被爆者は、川口が「輪郭に目と口だけをかたどったお人形さん」「『もののけ姫』に登場する森の木霊」と形容するような抽象的な造型で、ケロイドの表現も、肉のただれがホラー映画のメーキャップのごとく誇張された『ゲン』とは異なり、ひっかき傷のようなカケアミで控えめに示されている。被爆者差別も、白目を剝いた輩（やから）の面罵ではなく手紙などで婉曲に告げられ、最終的には非被爆者との恋や友情によってゆるやかに乗り越えられてゆく。「ギギギ」を筆頭に『ゲン』全篇に横溢していたオノマトペは、『夕凪の街』からはわずかな例外をのぞいて一掃されている（そもそも「ピカ」という原爆を代理表象するオノマトペが欠けている）。刃物や銃弾といったハードな凶器がド派手に交錯する『ゲン』にたいし、『夕凪の街』で秘めやかにやりとりされるのは、金魚の柄のハンカチや薄手の上着といった相手へのケアを象徴するソフトな贈り物である。

『ゲン』は盛りこみ、『夕凪の街』は省略する。両者のコントラストを端的にいえばそうなるだろう。この対照性をきわだてるものは二つある。一つは「眼」だ。「黒い目の被爆者」と「白い目の迫害者」のはざまでサバイバルするゲンは、つねに大きく瞳を瞠（みは）り、原爆のもたらした惨禍のすべてを目撃しようとする。一方の皆実は原爆症によって失明し、ラスト近くのページはまっ白いコマに瀕死の独語がきれぎれに漂うだけで、外界のいっさいが省かれる。もう一つは「復讐心」だ。私的な復讐心／ナショナルな復讐心／ファシスト的復讐心のすべてを盛りこんだ『ゲン』にたいし、失明した皆実は「十年経ったけど原爆を落とした人はわたしを見て「やった！またひとり殺せた」とちゃんと思うてくれとる？」と皮肉っぽくつぶやくきりだ。白い闇へ沈んでゆく皆実の、いまわのきわのアイロニーはかぎりなくせつない。だが、せつなさほど復讐心から遠い感情があるだろうか？[*2]

「眼」と「復讐心」が到達しうるかぎりのものを盛りこもうとする『ゲン』の過剰と、「眼」と「復讐心」を空白にいたるまで省略しようとする『夕凪の街』の抑制。――このダイコトミーは、『ゲン』と『夕凪の街』を両極に据えた「原爆漫画」というジャンルを描こうとする欲望へ私たちを誘惑する。いや、すでに私たちの原爆をめぐる想像力は、ゲンと皆実が出逢うことで成就される「原爆漫画」のナショナルな重力圏にとらえられている。だが、彼らの出逢いに隠された逆転劇から眼をそらすべきではない。

被爆国日本に固有の「原爆漫画」というジャンルに組みこまれるとき、『ゲン』は暴力や復讐心やアナーキズムやノマドロジーやスカトロジーといった猥雑な多様性を省略され、家族を愛し平和を訴える純心な「反戦反核漫画」に還元される。「反戦反核」という戦後日本のナショナルな統合原理のなかで、「中沢家の怨み」という黒点は不純物として消されてしまう。他方、被爆した女性とその親族の生死を穏やかな日常のうちに描いた『夕凪の街』は、「広島のある日本のあるこの世界を愛するすべての人へ」といういささかナイーヴなエピグラフに過剰な意味を読みこまれ、個人の生き死にに国家の論理を被覆するナショナリズムの回路に接続されてゆく。『ゲン』は省略され、『夕凪の街』は盛りこまれる。この逆転を介してあらわれるナショナルな結界に、私たちは既視感をおぼえずにいられようか？　大田洋子の怒りを排除することでナショナルなアーカイヴとして立ちあげられた「原爆文学」のドラマを、私たちは「原爆漫画」をめぐって再演しているのではないか？　ここで行われようとしているのは、「半人間」を差別し排除する構造を隠蔽したまま、そして彼らが放つ復讐の叫びに耳をふさいだまま、「半人間」であるゲンと皆実をいわば「名誉国民」に引きあげ、国家を仲人に二人を偽装結婚させようとする「盛りこみ」ではないだろうか？　そして私たちが「省略」しようとしているのは、「ギギギ」という異形の擬音にはらまれた復讐への呼びかけと原初的な自由の希求という、国家のロジックをかいくぐるラディカルな両義性ではなかろうか？

4　アイロニー、エロス、グレイス

『ジャンプ』で『ゲン』が連載を終えた翌年（一九七五年）、林京子はデビュー作「祭りの場」で原爆漫画についてこうコメントしている。

一九七〇年一〇月一〇日の朝日新聞に〝被爆者の怪獣マンガ小学館の「小学二年生」に掲載、「残酷」と中学生が指摘〟の記事がのっている。「原爆の被爆者を怪獣にみたてるなんて、被爆者がかわいそう」女子中学生が指摘し問題になった。怪獣特集四五怪獣の中の、人間の格好をした「スペル星人」が「ひばくせい人」で全身にケロイド状の模様が描いてある。真意をただされた雑誌側は調べてからでないと何ともいえません、と答え、原爆文献を読む会の会員は絶対に許せない、と抗議の姿勢をとった。事件が印象強く残ったのは確かである。「忘却」という時の残酷さを味わったが、原爆には感傷はいらない。

これはこれでいい。漫画であれピエロであれ誰かが何かを感じてくれる。三〇年経ったいま原爆をありのまま伝えるのはむずかしくなっている。

「「忘却」という時の残酷さ」や、「原爆をありのまま伝える」ことの難しさは中沢にも共有されている。だが「原爆漫画」のパイオニアたる中沢がおのれの網膜に焼きついた惨状をストレートに描こうと踏ん切れたのにたいし、十四歳の八月九日に長崎で被爆してから「祭りの場」を発表するまでに三十年の月日をかけた林の前には、すでにオーソライズされた「原爆文学」が屹立し、形式面では小説だけでなく詩や短歌や俳句まで、内容的には感傷たっぷりの抒情から硬質なドキュメントまで、作者も被爆者から非被爆者まで、つとに多くの可能性がこころみられていた。

「遅れてきた被爆者作家」である林は、しかし、その「遅れ」をこそ武器にしようと腹をくっていたように見える。文学作品につねに遅れつつも、その遅れのさなかに踏みとどまって作品を異化するまなざしを鍛える営みを批評と呼ぶなら、遅れてきた林が見出したのは、原ら被爆者の作品と井伏ら非被爆者の作品を綴じ合わせた「原爆文学」という書物を異化する批評のまなざしだったといってよい。その批評的なテクストは、垂直と水平の二つの軸のまわりに原爆をめぐる固有の語群を組織してゆくことになるだろう。

垂直の軸はアイロニーである。芥川賞を受賞した「祭りの場」の選評で、井上靖は「原爆を直接体験し、そして三十年生きてきた人だけの持つ突き放し方、皮肉、そうしたものが文体を造っている」と称賛しているが、じっさい「祭りの場」は全篇アイロニーに染めぬかれた作品だ。アメリカの科学者たちの「降伏勧告書」の引用から書きおこされるが、「日本国がただちに降伏しなければそのときは原爆の雨が怒りのうちにますます激しくなるであろう」という露骨な恫喝に、まさにその原爆の雨で友人たちを殺された林は「神のみ子だから怒れるのだな、と敬服する」と露骨な皮肉を投げかえす。同様のアイロニーは「神の御子たちは様ざまな火傷を人体実験したようだ」という寸言でも反復される。原爆投下直後に急上昇して爆風から逃げだしたB29のことも、「彼らは人並みに死にたくなかったらしい」と、罵ることなく嗤っている。

アメリカ人だけではない。三十年の遅れは、日本人の非被爆者たちや自分をふくむ被爆者たちにもアイロニカルなまなざしをむけることを強いた。被爆後に下痢と化膿と倦怠感に苦しめられ、終日横臥する自分のわがままな指図に愛想をつかした姉妹の「死ぬのならさっさと死んでくれ」という態度に、「義理にでも死んでみせたくなる」と応戦する「私」は、非被爆者の驕りと被爆者の驕りの衝突をひややかな批評の眼で眺めている。

死者を見つめる眼もそうだ。「人間の尊厳」が大量のウジと蝿に喰い尽くされてゆくさまを眼にして「戦争は自然の摂理をあからさまに教えてくれる」とつぶやく林は、人間を焼くには生がわきの薪がよいと記す。

焼くと腹が音をたててはじける。脂肪が飛び火の粉が後を追って舞いあがり、空中で脂に点火する。予想外の闇の広範囲に、いきなり炎が燃える様は、あぶり出しの絵がらを期待する気持と同じで楽しい。

美しいと見入ってしまう。そのうち「そろそろ爆(は)ぜるな」華麗な炎の一ときを心待ちするようになる。

死者たちが原爆の放った六千度の熱線に焼き殺されたことを考えると、遺体から爆ぜとぶ炎に「楽しい」「美しい」と見入る被爆者の、心に焦げついたアイロニーの深さにおののかざるをえない。

「アメリカ側が取材編集した原爆記録映画のしめくくりに、美事なセリフがある。／――かくて破壊は終りました――」という美事な皮肉で閉じられる「祭りの場」のアイロニーが極まるのは、タイトルの示す情景においてだ。原爆投下時、林が動員されていた兵器工場の広場では、出征する仲間をかこんで数十人の学徒が輪をつくり、送別のダンスを踊っていた。その「青春の哀(あい)悼(とう)の祭り」は、出征学徒の校歌を唄いながら狂ったように輪をめぐらせたあと、「ありがとう」

「また逢おう」と万感のこもったあいさつを交わして終わる。だが八月九日の祭りは終わらなかった。戦場へむかう友を青春の煌(きら)めきのさなかへ抱きとめようとする若者たちの輪舞(ロンド)は、一瞬の閃光によって蒸発した。踊っていた者らは屋外にいたため全滅し、建物のなかから祭りを眺めていた「私」は生き残った。生死をわけたこのまったき偶然が、「哀悼」の必然性を死者からも生者からも奪ってしまうのだ。

「遅れてきた被爆者作家」がアイロニーを軸にしたのは、だが偶然ではない。細胞内に残留した放射線の内部被曝によって、被爆者の身体に、あるいは子や孫の身体に遅れて病や死をもたらす原爆症の恐怖にとり憑かれた作家にとり、アイロニーは必然だった。ドゥルーズによれば、より上位の法の破壊をつうじて普遍的な自然に到達することをめざす、無限の上昇運動がアイロニーだ（『ザッヘル＝マゾッホ紹介　冷淡なものと残酷なもの』河出文庫）。原爆は、アメリカ人が護持する〈人権〉という法や日本人の信奉する〈臣民の責務〉という法を破壊し、藤原新也をもじっていえば〈人間はウジと蠅に喰われるほど自由だ〉という「自然の摂理」を露出させた。生物の最も普遍的な法(コード)であるゲノムを放射能汚染によって破壊する原爆症はアイロニーの極限ともいえよう。原爆／原爆症の巨大なアイロニーを描くにはアイロニーに徹するほかない。ここに林の必然があった。

だが、ドゥルーズがアイロニーの範例と見なすサドの暴力描写が徹底して感情を欠いているように、「祭りの場」でも、自らを被爆者であり原爆症予備軍である「半人間」へとおとしめた

「敵」にたいする怒りや復讐心は暈(ぼ)かされている。中沢と異なり、林は原爆でひとりの家族も亡くしていない。また、爆心地の壊滅をともに見とどけた主婦の「トムライ合戦」という檄(げき)に、「目の前の惨状を見てなお戦う気がまえをみせる心の強さを、恨めしく思った」と嘆く「私」は、ナショナルな復讐心から距離をとっている。『長い時間をかけた人間の経験』（一九九九年）の語り手も、核実験の横行を前に「あと一度原子爆弾が落ちなければ人は目覚めないでしょう」と吐き棄てつつ、「被爆者は私たちだけで十分のはず」と自制して、大田洋子を呑みこんだ非被爆者にたいするファシスト的復讐心の誘惑をはねのけている。

アイロニーの可能性と限界は、それが感傷だけでなく、愛や憎しみや怒りも封印した無情な眼で万物をまなざすところにある。もし林にアイロニーしかなかったら、おそらく「祭りの場」より遠いところには到達できなかっただろう。林のテクストを狭義の「原爆文学」のくくりを超えた広闊(こうかつ)な場所へひらいていったのは、海と陸を大股にまたぎつつ、多種多様な「半人間」たちとしなやかに結びついてゆく水平方向の交通だった。

「半人間たちの連帯」とこれを呼ぼう。オランダ語の「ギヤマン」とポルトガル語の「ビードロ」の半言語(ちゃんぽん)をタイトルにした連作集『ギヤマン　ビードロ』（一九七八年）には、さまざまな「半人間」が登場する。「私」が四人の同級生とともに母校のN高女を訪れるもようを描いた「空罐(あきかん)」は、原稿用紙五十枚ほどの短篇にもかかわらず、「半人間」たちの相貌をじつに多彩に描きわけている。まず、原爆や原爆症に斃(たお)れた多くの死者がいる。「私」たちも、結婚した者離婚した者独身でいる者、子どもがいる者いない者、職についている者無職の者、被爆した者まぬかれた者と、原爆差別と性差別の交差した個々別々の事情をかかえている。たがいの隔たりに敏感な彼女たちをつなぐのが空罐だ。被爆時に背中に刺さったガラス片を三十年越しでとりだすために入院したという「きぬ子」がいったい誰なのか、最初「私」は思いだせずにいるが、父母の遺骨を入れた空罐を毎日学校に持参していたクラスメートのことだとわかって衝撃をうける。肉を内側から苛(さいな)むガラス片と両親の骨を内側に秘めた空罐の心を刺す記憶が、果てることなくつづく原爆の痛み／悼みの象徴として、多様な「半人間」たちをゆるやかにつなぎとめるのだ。

「帰る」で行方不明の同級生として追想される島も、複雑な事情をかかえた「半人間」だ。発狂した父親の世話という島の秘密を知った「私」は、原爆によって父以外の家族を亡くした彼女を気にかけつづける。戦後その父を置き去りに佐世保に行った島はパンパンになったと噂される。ヤングケアラー／被爆者／セックスワーカー／婚外子出産などが複雑に交差する差別を経験した島は、二十代半ばのころ横浜で「私」と再会し、GIの恋人と結婚するため、彼の故郷のコロラドに帰るといった。家族を殺した敵国へ「帰る」という島は、もはや帰る場所がないホームレスの境遇を反語的に告げているのだ。

島とは反対方向に海をわたった娼婦もいる。上海での小学生時代を追想した「黄砂」で、日本人の娼婦であるお清さんが、中国人のクーリーたちの賭けにのって、白昼屋外でセックスするのを「私」は目撃する。「日本人のくせに国辱ものだわ」と母は憤慨するが、異国で娼婦として暮らすお清さんの苛酷だったにちがいない過去に思いをはせる「私」は、彼女が中国人むけのコレラワクチン接種を受けるのに心をふるわせ、彼女とともに菜の花の群れ咲く中国人の墓地を歩く。戦地や植民地で女を陵辱した日本の男たちの恥を、そうした男たちに庇護される主婦たちの恥を、「国辱」の符牒のもとに一方的に転化され、スケープゴートとして蔑まれたお清さんを、林は「日本人からも中国人からも受け入れられない、時代の苦を三重四重に背負った人物」として愛惜とともにふりかえる（『祭りの場・ギヤマン ビードロ』講談社文庫「二つの命と人生」）。林はまた、帝国に護（まも）られた被爆前の安穏な暮らしと国に見棄てられた被爆後の苦しみをつなぐミッシングリンクをお清さんの孤独なイメージに重ねているが、この感慨には「私は日本人でありながら、中国で育ち、中国人の風俗を身につけた子供だった」（「響」）という「半人間」の自覚が反響している。[*3]

『無きが如き』（一九八一年）で、同級生の夫のアメリカ人を朝鮮戦争へむかう輸送船から脱走して収監された「半人間」として描いた林は、欧米や日本の苛酷な植民地支配と長い戦乱によって「半人間」化されたベトナム難民はじめアジアの人びとの痛みにも思いを寄せる。『長い時間をかけた人間の経験』では、原爆で孤児となった元女工の、食うために体を売りつづけたという打ちあけ話をつうじて、被爆者というカテゴリーのなかで不可視化されていた階級差別の問題を浮かびあがらせる。「被爆」や「日本」や「階級」の垣根を越えて多様な「半人間」たちとゆるやかに結ばれてゆく林の旅程は、世界初の原爆実験が行われたトリニティ・サイトに立った経験をふりかえるエッセイ（『長い時間をかけた人間の経験』講談社文芸文庫「知って欲しいから。」）に、「生命を生む大地が病んでいる――。私は、被爆者の先輩が母なる大地であったことを、知った」と書きつけることで、ついに「人間」や「生物」のワクも越え、地球の「傷つきやすさ（ヴァルネラビリティ）」にまで踏みこんでゆく。

普遍的な自然の露出めがけ、高次の法を破壊しつづけるアイロニーの垂直的な運動と、「半人間」の「不安定さ（プレカリティ）」を媒介にして、世界の片隅に棲まう者たちへ多様な連帯の環を紡いでゆく水平的な交通。――両軸をときに大胆に、ときにためらいがちに交差させる長い歩みの果てに、林が最後に発したのは、被爆後六十数年にわたって抑えこんできた「怒り」だった。福島の原発事故後に当局によって公に口にされた「内部被曝」の一語にショックを受けた林は、被爆と原爆症の因果関係を認めてこなかった国に見殺しにされた被爆者の恨みを訴えつつ、「国はわたしたちを裏切った」と遺作に憤怒を書きつけた（「再びルイへ。」二〇一三年）。

かくて破壊は終りました――八・六と八・九、そして三・一一後を生きる私たちが、原爆と原発の問題をその「美事なセリフ」でしめくくるのを禁じるために。

*

自由に書いていいのですよ、小説は自由です。

青来有一は、戦後生まれの自分が原爆を書いてもいいのかと問いかけたとき、「Hさん」（林京子がモデル）がそう励ましてくれたと記している（「愛撫、不和、和解、愛撫の日々」）。長崎に生まれ育った被爆二世で、長崎原爆資料館の館長もつとめた青来は、二〇〇六年に刊行した『爆心』（伊藤整文学賞／谷崎潤一郎賞）で原爆に正面からとりくんだ。八月九日について書きつづけた林の、いわば文学上の「二世」にあたる青来は、林から遺伝子を相続しつつも、そこに林にはなかった突然変異を書きくわえて、『爆心』に収められた六つの短篇を産みおとしている。

六作の語り手や主要な登場人物がそろって「半人間」である事実に、林から受けついだものが端的にあらわれている。「釘」では、不貞の妄想から妻を刺殺した統合失調症の息子の秘密が、被爆者である両親によって暴かれる。「石」の語り手は、浦上川の川岸に転がる石に殉教者や被爆者を幻視する、「アダム」を自称する知的障害をもつ中年男だ。「虫」では十五歳のころ原爆に家族を奪われた女が、被爆の後遺症をかかえた自分を一度きり抱いて棄てた元特攻兵とその妻にたいする積年の愛憎を吐露する。ニンフォマニアの女が十五も年下の若者を誘惑し、平和記念式典で義父母の出払ったすきに自宅で不倫の性を貪るのが「蜜」だ。幼い娘を亡くしたショックで気が変になった「貝」の語り手は、六十年前の原爆投下時の悲惨な記憶と病死した娘のあどけない記憶の交点に幻の貝を見つける。「鳥」の「私」は被爆直後に原子野でひろわれた原爆孤児である。

だが、林が「半人間たちの連帯」を、長崎高女の同級生たちのシスターフッドを中心に、昂ぶりをおさえた静謐な哀しみのうちに描いたのにたいし、青来はエロスの火に炙(あぶ)られた男女の狂おしい姿態をつうじて、「半人間たちの結合」という宗教劇を描きだそうとする。

すでにデビュー作の「ジェロニモの十字架」において、「半人間」は原爆とエロスが溶けあう邪(よこしま)な宗教劇にとりこまれていた。声帯の癌によって声を失った「僕」は、「性器にも比肩できる、深い快楽を人間に与えてくれる器官」である声帯を惜しみ、自らの去勢に絶望する。一方、原爆寡婦の祖母を誑(たぶら)かした復員兵の末裔として親族中から忌み嫌われているジェロニモ叔父は、隠れキリシタンの遺留品らしき鉄の十字架(クルス)を「自らの切除した塩漬けの生殖器」のように肌身はなさず持ち歩く。アベックや女子高生の窃視(せっし)にのめりこみ、平和公園で放火を犯して逮捕された前歴をもつ彼のことを「このひとの欲情はどこかで炎に結びついているらしい」と怖れる「僕」に、声を失ったのは「罰があたった」からだと言い放つ叔父は、十字架をとりだして「祈りなさい。奇跡は起きる」と宣告する。

原爆の炎によって去勢された僕(しもべ)らは、「溶けた神様」に祈ることで、性の快楽をとりもどすことができる。――原爆とエロスをねじまがった聖性のもとで結合させるこのドラマは、『爆心』でさまざまに変奏される。「石」の「アダム」が庇護をもとめる幼なじみの国会議員は、核兵器廃絶と世界平和を訴えるクリスチャンでありながら、自らの愛人スキャンダルをふりかえり、「たとえ、戦争が勃発して、世界中で核が爆発しても、あの頃のぼくはあの女性と抱き合ってさえいられればよかったのかもしれない」と告白する。「虫」の語り手の「わたし」は、自宅の祭壇の蠟燭の炎に灯されたマリア像の前で妻子持ちの元特攻兵と交わる。マリア像などただのからっぽな人形だとうそぶく男は、自分が特攻から生還し、「わたし」が原爆を生きのびたのは神のおかげではなく、まったくの偶然だと言い棄てる。

虫の一匹、一匹の生き死ににには、神さまは眼もくれんやろう。名前もなく、どれも同じ顔をしておるけんね。だから、虫も、つまらん信仰などもちはせん。虫には神さまはおらん。人間が虫よりもどれほど偉かと言うのか

からっぽに刳りぬかれた神は、個々の人間から顔と名前を奪いとる原爆の別名となる。特攻兵と被爆者という戦後社会の片隅に追いやられた「半人間」たちは、原爆と神をひとつに溶かしこむ性愛の炎のただなかで、顔も名前もない二匹の虫として番うのだ。

とはいえ、生の連鎖を破壊する原爆と、生の連鎖を支える性愛をひとつにつなぐドラマを構築するには、逆説的な媒体が必要になるだろう。それこそが原罪だ。人間を死の荒野へ追放する神罰でありつつ、知恵と性愛を人間にもたらす贈与でもある原罪の両義性が、死の欲動の具現である原爆と生の欲動の発露であるセックスをひとつに結びつける。人類の歴史の冒頭に刻みこまれた「原罪」という堕落の神話を、近代という時代とともにあらわれた「小説」という堕落した神話によって語りなおすのが、黒いカラスヘビが棲み、キウィが黄金色に輝く庭で、八月九日の十

一時二分の慰霊のサイレンを聞きながら、淫蕩な女が少年を誘惑する「蜜」にほかならない。

しかし、原罪を媒介とするこうした「半人間たちの結合」は、〈被爆者―隠れキリシタン―エロス〉という三題噺に作品を還元し、小説をたんなる寓話におとしめる危険がある。それを避けるために青来が導入するのは、〈被爆者―隠れキリシタン―エロス〉のトリアーデを戯(おど)けた指でつねりくすぐるユーモアだ。

ふたたびドゥルーズを引けば、ユーモアとは法のもたらす苦痛をねじまげ、その苦痛のさなかから快楽を汲みあげる錬金術である。『爆心』のなかでその錬金術が最も効果をあげているのが、知的障害／保護者＝母の死／貧困／独身といった多重の困難にうちひしがれながらも、自らの苦しみと長崎の歴史をどこかとぼけた口調でリミックスし、荒唐無稽な物語(イストワール)／歴史を紡ぎだす「アダム」のひょうひょうとした語り口だ。

「神さま……、お願いです。せっくすばさせてください……。」――「石」の末尾のこの嘆願は、「原爆文学」におけるユーモアのひとつの極点を刻んでいる。

*

「半人間たちの連帯」をアイロニーを交えて描く林と、「半人間たちの結合」をエロスとユーモアによって描く青来。だが、こうした差異にもかかわらず、両者の作品は敵への復讐心をともに抑制しており、その点で大田や中沢の作品と好対照をなしている。ここにはおそらく長崎の原爆文学の「聖書」の影が射し入っている。「原子爆弾が浦上におちたのは大きな御摂理である。神の恵みである。浦上は神に感謝をささげねばならぬ」「わが浦上教会こそ神の祭壇に献げられるべき唯一の潔き羔（こひつじ）ではなかったでしょうか」。──占領期の大ベストセラー『長崎の鐘』（一九四九年）でこう呼びかける「長崎の聖人」永井隆に、林も青来もくりかえしふれていることは見逃せない。

むろん彼らは、原爆投下を「恩寵（グレイス）」と見なす永井の宗教的ファナティシズムからは距離をとっている。たとえば青来の『人間のしわざ』は、原爆の残虐さをアフガニスタンやソマリアやイラクの戦場と結びつつ、それらの惨禍を「神のみわざ」とする考えを批判している。しかし、アウシュヴィッツやヒロシマで祈ったヨハネ・パウロ二世の心中を想像する青来や、八月九日の浦上で信者たちが無心に祈るようすに〈人間による人間の救い〉を見る林（「野に」）は、永井とその「浦上燔祭説」にたいする批判を反復しながらも、逆にその反復そのもののなかで、長崎の原爆体験に埋めこまれた根深い宗教性を再認しているように見える。

『長崎の鐘』は奇妙なテクストだ。まず、永井はこの本を三つのまったく異なるアイデンティティ──①帝国臣民→②科学者／医師→③クリスチャン──に次々に脱皮しつつ書いている。アイデンティティの変態にともなって原爆も、①皇国の憎むべき敵→②探究すべき真理→③神の恩寵へ姿を変えてゆく。より高次の普遍性をもとめるこの弁証法が、①天皇制の存続＝②科学技術立国＝③アメリカへの盲従という戦後日本の三位一体を「予言」したと私は論じたことがある（「光と弔鐘　『長崎の鐘』の弁証法（ディアレクティク）」『群像』二〇二一年一月号）。そこで私は、原爆を投下したアメリカ人や、無謀な戦争をはじめた天皇ら日本の指導層、そして原爆そのものにたいする怒りや復讐心を「神の恩寵」の名のもとに封印する永井の「平和の祈り」が、戦後の日本人を扼しつづけてきたのではないかという疑念を提出した。

『長崎の鐘』が「半書物」だったという事実がこの疑念を支える。原爆の残虐さを知って日本人の復讐心に火がつくことを怖れたGHQは、日本軍がマニラで犯した暴虐を写真入りで報告する『マニラの悲劇』との合冊にすることを永井に強いた。『マニラの悲劇』は、日本人のレイシズムによって悼む価値のない「半人間」へおとしめられ、陵辱と虐殺の的となったフィリピンの人びとの怒りと復讐心でまっ黒に塗り潰された書物だ。しかしそのカウンターパートである『長崎の鐘』は、被爆者という同じ「半人間」の手によって書かれながら、長崎の人びとを「半人間」へおとしめた敵への怒りや復讐心が、「恩寵（グレイス）」の一語にあとかたもなく回収されてしまうテクストなのだ。

だとすれば、「半人間」たちにとって、「神」こそが究極の敵ではないのか？

5 「半人間」たちの進撃

二十一世紀の日本を奇怪な幽霊がうろついている。「半人間」という幽霊が……。

『進撃の巨人』『鬼滅の刃』『約束のネバーランド』『呪術廻戦』『チェンソーマン』『怪獣8号』——近年のメガヒットコミックスを一覧すると、作品の基本シェーマの類似に驚かされる。巨人/鬼/呪霊/怪獣など、人間の殺戮をめざす残虐な「敵」の一部を体内に取りこんで「半人間」と化した主人公たちが、「半人間」ゆえの異常な戦闘力と揺れ惑うアイデンティティを抱えつつ、無慈悲な支配の拡大をもくろむ帝国主義的な暴力に立ちむかう。どの作品もこのパターンを反復しているのだ。

「半人間」の漫画/アニメにおける系譜をさかのぼると、石ノ森章太郎の『サイボーグ００９』（一九六四年～作者の死により未完）と永井豪の『デビルマン』（一九七二年～七三年）にたどりつく。『サイボーグ００９』は、全世界に戦争を焚(た)きつけてまわる「黒い幽霊団(ブラックゴースト)」の手でサイボーグ戦士に改造された者たちが、「半機械人間」「半人間」と自嘲しつつも、強固な団結力で人類の敵と戦う物語だ。ちなみに、石ノ森章太郎原作のテレビドラマ『仮面ライダー』（一九七一年～

七三年）も、ナチスの残党が組織したショッカーの医師団の手術によりバッタの能力を移植された「半人間」本郷猛が主人公である。『デビルマン』では、生物の無際限な殺戮を本性とする悪魔の復活を前に、「悪魔のからだと人間の心をもつ新生物」たる「悪魔人間」になった不動明が、サタン率いる悪魔たちとのアルマゲドンに挑む。キューバ危機やベトナム戦争など一九六〇～七〇年代の冷戦の現実を背景に、両作が核戦争による人類滅亡のオブセッションを共有している点も見逃せない。たとえば『サイボーグ００９』の第1巻は広島へのリトルボーイ投下からはじまる。また、全身が武器化された００４の体内にはヒロシマ型原爆が仕込まれている。『デビルマン』では、悪魔とのアルマゲドンの前段に、ソ連のツリングラードが――独ソ戦の激戦地スターリングラードを連想させる――水爆ミサイルによって悪魔もろとも蒸発する。超大国間に核戦争を起こさせるという悪魔の策略にひっかかった人類は、疑心暗鬼のなかで同士討ちに陥り、自滅への道を突きすすむこととなる。

放射能に汚染された核戦争後の世界。――サイボーグとデビルマンにとり憑いたその悪夢を、瘴気のたちこめる「腐海」という森によってメタフォリカルに表象した作品に、『風の谷のナウシカ』がある。アニメ映画版（一九八四年、宮崎駿原作・脚本・監督）は、トルメキアの帝国主義的暴力と戦うナウシカを、「腐海」に棲まう蟲たちと人間のあいだを媒介する両義的な存在として描いているが、映画版では尽くされなかった宮崎の構想が十全に発揮されたコミックス版（一九八二年～九四年に『アニメージュ』に連載）では、ナウシカの「半人間性」はよりラディカルなかたちに書き換えられている。「このお方は人の姿をした森です」と蟲使いに崇(あが)められるナウシカは、長い旅路のはてに、土鬼(ドルク)諸侯国の聖都シュワの「墓所」——人類の運命をコントロールするAI——に千年ものあいだ封じられていた恐るべき真実を知る。「腐海」とは、戦乱や疫病によって損なわれた大地を清浄にするための人工的環境であり、高度な技術を失って「腐海」のほとりで細々と暮らすナウシカたち現在の人類は、クリーンな環境をとりもどした未来を生きる者たちへのいわば「つなぎ役」として、汚染に適応できるように改造された「半人間」だったのだ。だがナウシカは、「私達の身体が人工で作り変えられていても私達の生命は私達のものだ」と宣言して「半人間」である自らを肯定し、未来に復活するはずの人間たちの卵もろとも「墓所」を破壊する。——「半人間」のアイデンティティをよりどころに、テクノロジーが解き放つ帝国主義的暴力に立ちむかう戦闘少女の遺伝子は、同じく宮崎が原作・脚本・監督をつとめた『もののけ姫』（一九九七年）の、山犬に育てられた娘サンに受けつがれてゆく。

一九八八年～九五年にかけて青年誌に連載されたのち、二〇一〇年代にリバイバルヒットしてテレビアニメ化（二〇一四年～一五年）／実写映画化（二〇一四年・一五年に二部作として公開）された『寄生獣』は、複雑な力線が輻輳(ふくそう)する宮崎作品のプロットから「半人間」をピックアップし、シンプルな戦闘漫画のコンテクストに彼らを再配置した点で、それ以降のメガヒットコミックスを先取りしている。謎の寄生生物に脳を占拠されて「半人間」化した者たちが、異様な身体能力によって他の人間を殺戮し捕食してゆくなか、脳ではなく右手にパラサイトされた泉新一は、「ミギー」と名づけた寄生生物とぎこちないコミュニケーションを介して共生しつつ、次々にあらわれる敵を打ち倒してゆく。たがいの位置関係をレーダーでとらえるように感知するという寄生生物のスペックも、『進撃の巨人』『鬼滅の刃』『呪術廻戦』などで重要なギミックとして踏襲されている。

半世紀近くにわたるこうした「半人間」の系譜のうえに登場したメガヒット中のメガヒットが、コミックス全34巻の発行部数が一億部を超え、小説化／ゲーム化／アニメ化／実写映画化など多様なメディアミックス展開を見せる『進撃の巨人』（二〇〇九年～二一年）と、コミックス全23巻の発行部数が一億五千万部に達し、日本映画史上最高の興行収入である四百億円をマークした劇場版アニメを筆頭に、やはり幅広いメディアミックスを展開する『鬼滅の刃』（二〇一六年～二〇年）である。

『進撃の巨人』は、人間を捕食する巨人の侵入を防ぐため、高さ五十メートルの壁をめぐらせた狭い区域に人びとが家畜のように暮らす世界において、巨人化する能力をもつエレン・イェーガーが、彼の生きる残酷な世界に秘められた謎と、それに密接にからみつく自らのファミリーヒストリーを解明してゆくダークファンタジーである。『鬼滅の刃』は、家族を鬼に惨殺された竈門炭治郎が、鬼狩りを使命とする鬼殺隊の一員として、妹の禰豆子――鬼の血が体内に入ったために半ば鬼化している――とともに、あらゆる鬼の産みの親である鬼舞辻無惨と戦う剣戟ロマンだ。巨人／鬼と人間のハイブリッドである「半人間」たちが、アイデンティティの分裂に苦悩しつつ、敵の帝国主義的暴力を打ち破ってゆくという『サイボーグ００９』以来の構図をともに反復しながら、両作の主人公がめざす方角は真逆といってもよい。この差異を正確に見さだめる必要がある。両作を対蹠点として張られる磁場を介して、二十一世紀の日本人の戦争にかかわる想像力を触知することができるからだ。

　物語の冒頭で、炭治郎は鬼に、エレンは巨人に、家族をむごたらしく殺される。彼らにとり憑いた憎悪と復讐心のゆくえを追ってみよう。

　炭治郎の復讐心は、親密な人間関係が破壊されたことにたいするそれにほぼ限局されている。家族を虐殺し、禰豆子を鬼に変えた鬼舞辻無惨にたいする復讐心は、劇場版アニメでも感涙を呼んだ煉獄杏寿郎（れんごくきょうじゅろう）をはじめとする鬼殺隊の仲間たちの相次ぐ戦死によって深まってゆく。他方、〈鬼の帝国vs.人間の国〉という分断の構図にもとづくナショナルな復讐心は、戦闘漫画には一見異質なナラティヴにより巧みに迂回されている。すなわち、鬼殺隊のふるう日輪刀によって鬼が首を斬られて殺される瞬間、視点が炭治郎ら人間から鬼へ切りかわり、彼らが人間だったころの回想シーンが――長いときには連載五回分（第１５３話～１５７話）にわたって――挿入されるのだ。*4

　一例をあげよう。「上弦」と呼ばれる最強の鬼の一角を占める妓夫太郎（ぎゅうたろう）は、妹の堕姫（だき）と二人三脚で戦うが、激闘の果て、炭治郎らに兄妹同時に首を斬り飛ばされる。瀕死の妓夫太郎と堕姫は相手に敗北の責任をなすりつけるが、二人の罵り合いを聞いた炭治郎が、彼らの犯した殺人はけっして許されぬにせよ、味方は他にいないのだから兄妹が仲違いしてはいけないといいきかせることをトリガーに、妓夫太郎の回想シーンがはじまる。遊郭の最下層で生まれ、母による虐待にくわえ容貌の醜さゆえに誰からも嫌われた妓夫太郎は、性産業差別／幼児虐待／容姿差別／イジメなどの複合差別に虐げられた「半人間」だった。そんな彼を人間らしい生へ目覚めさせたのは、抜群の美貌と素直な性格をあわせもつ妹だったが、その妹が残酷な悪意によって生きながら焼き殺されたことで、妓夫太郎の復讐心は鬼の異形(いぎょう)へ凝固したのだった。だが回想シーンの最後で、人間の姿をとりもどした妹が「何回生まれ変わってもアタシはお兄ちゃんの妹になる絶対に!!」と泣き叫ぶのを聞き、鬼の体もろとも妓夫太郎の復讐心はやわらかく溶けてゆく。「仲直りできたかな?」とつぶやく炭治郎に、禰豆子がこくりとうなずくことをピリオドに長い回想シーンは閉じられる。——仇敵であるはずの鬼を倒すたびに反復されるこうした回想シーンは、鬼たちも元は人間であり、人間としての物語(イストワール)／歴史をもっていること、彼らは好きこのんで鬼になったのではなく差別と暴力が彼らを鬼に追い落としたこと、彼らはその差別の「証人」として死後に生きなおしうること、誰にもその死を悼まれない「半人間」から他者に哀悼される「人間」への再生を助ける作業の核心に、当事者の語りを聞くという営みがあること、敵とされた者の記憶に耳をすますことで復讐心は解毒しうることを、何度もくりかえし示しつづけるのだ。

「戦争孤児」であり、鬼と化した妹を背負いつづける「半人間」だからこそ、炭治郎は「半人間」たちの語りを聞きとる力をもっている。その炭治郎が話を聞こうとしない唯一の存在、それが鬼舞辻無惨である。鬼殺隊もろとも人類を絶滅して鬼の帝国を築こうとたくらむ鬼舞辻は、生物のカテゴリーすべてを「鬼」という一つの種によって充塡しようとするファシスト的野望の権化であり、その意味で、ユダヤ人を絶滅しスラブ人を奴隷化しようとしたヒトラーのアーリア人至上主義や、ウクライナ人をロシア人に根こそぎ作り変えることをねらうプーチンの帝国主義を象徴するアイコンでもある。第一章で示したように、ヒトラーやプーチンの世界観は永遠の復讐という怨念で飽和しており、そこに現実の歴史(イストワール)が入りこむ余地はない。炭治郎の聞く力をもってしても、人間にたいする復讐の一念に凝り固まった鬼舞辻の物語(イストワール)を聞きえないのは必然なのだ。そして最後の決戦のさいに、鬼舞辻の血を浴びた炭治郎が、彼を鬼一族の次代の総統(フューラー)になさんとする鬼舞辻の邪悪な遺志に取りこまれかけたとき、いままでともに戦ってきた者たちの手が炭治郎との物語/歴史(イストワール)を守りぬく決意としてさしのべられ、ヒトラーやプーチンと同根のファシスト的泥沼から炭治郎を救いだすのも物語の必然であり、禰豆子がふたたび人間として生まれかわり、すべての復讐心が昇華されて歴史の針がふたたび動きはじめるのも、同じ必然を示しているのだ。

　だが一つだけ、その大団円に回収されなかった伏線がある。じつは鬼舞辻は、鬼殺隊が「お館様(やかたさま)」と慕(した)いその命にどこまでも忠実にしたがう産屋敷(うぶやしき)一族と、同じ血を共有しているのだ(第１３７話)。凄惨な復讐戦から人類を解放しようとする産屋敷一族と、復讐の無限の連鎖によって人類を滅ぼそうとする鬼舞辻に同じ血が流れているという設定をとことん突きつめれば、

〈鬼vs.人間〉のシンプルな対立を超えたメタレベルにおいて、さらなる復讐の連鎖が噴出するのは避けられない。作者の吾峠呼世晴（ごとうげこよはる）（プロフィールの詳細は不明だが女性と推測される）は、人気漫画によくある無理な連載引きのばしを嫌い、当初の構想どおりに第23巻で完結させたとされるが、産屋敷と鬼舞辻の合体からほとばしる新たな戦争のカオスを封印するために、この伏線だけは放置しつつ連載終了を急いだ面があるのではないか。そして、『進撃の巨人』は、『鬼滅の刃』があえて切り棄てたメタレベルの復讐戦をとことん追求した漫画だと定義すれば、その本質的な特徴を射貫（いぬ）いたことになる。こういってもよい。鬼舞辻の復讐心に取りこまれた炭治郎のその後を描くのが『進撃の巨人』なのだ。

　前線の戦闘だけでなく、傷ついた隊士たちをケアする蝶屋敷のコミカルな情景や、鬼の邪毒を中和する禰豆子のヒーリングパワーにもフォーカスする『鬼滅の刃』にたいし、「この世界は残酷なんだ」という絶望的なつぶやきがくりかえされる『進撃の巨人』の暴力は、救いようもなければ癒しようもないものだ。作品につめこまれた過剰な暴力性は、ホロコーストと核兵器を中心とする、第二次世界大戦の負の部分を総ざらえにした観すらある。ゲットーを想わせる壁はもちろん、「悪魔の血」として迫害され、腕章を義務化されるエルディア人の設定はホロコースト下のユダヤ人をあからさまになぞっている。また、巨人化した人間の顔面に浮きでるケロイドに似た紋様や、超大型巨人が出現するさいに湧きあがるキノコ雲は核爆弾を暗示しているし、「地鳴らし」——街や国はおろか人類の文明そのものをも破壊し尽くす、超大型巨人の大群の進撃——

で描かれる巨人の不気味な林立は、束をなして発射されるＩＣＢＭのイメージに重なる。民族浄化につながる優生思想、他民族の女性のレイプをつうじたジェノサイド、自らの命を棄てて突撃する特攻、復讐を叫ぶ狂信的なプロパガンダ、敵にたいする拷問や処刑、「心臓を捧げよ！」というファシスト的敬礼、登場人物たちのドイツ系の名前――たとえば、永遠の復讐戦の扉をひらいたエルディア国の王の名である「フリッツ」はドイツ兵の蔑称であり、第一章で論じた『同志少女よ、敵を撃て』の少女狙撃兵たちは、ドイツ兵を「フリッツ」と呼ぶよう訓練されていた――など、第二次世界大戦の符牒は枚挙にいとまがない。

『進撃の巨人』に描かれた復讐戦も、〈鬼vs.人間〉という『鬼滅の刃』のシンプルな構図と異なり、多種多様なアクターが跳梁跋扈する世界戦争のカオスに投げこまれている。その全容の分析は措き、論点を二つに絞ろう。巨人化の能力をもつエルディア人の存亡をめぐる、エレンと彼の異母兄ジークの対立。そして「進撃の巨人」のもつ予知能力がエレンに突きつける、自由と必然の逆説。

エレンが継承する「始祖の巨人」と、自らの「王家の血をひく巨人」が接触すれば、原初の巨人・ユミルの全能にアクセスできると悟ったジークは、相次ぐ裏切りと陰謀の果て、ついにエレンとともにユミルの前に立つ。自らの末裔であるエルディア人の記憶を改竄するばかりか、身体の組成まで自在に書き換えられるユミルの力を借りて、ジークは自分たちエルディア人の断種を実行しようとする。巨人と人間の永遠の復讐戦を終わらせる唯一の方法は、断種による「エルディアの安楽死」だと考えているからだ。だがエレンの考えは異なる。ジークとは対照的に、エレンは壁に封印されていた超大型巨人たちによる「地鳴らし」を発動し、故郷パラディ島のエルディア人をのぞく全人類を滅ぼそうとするのだ。

鬼舞辻にのみ復讐心を燃やしていた炭治郎とちがい、エレンの復讐心は、母を巨人に喰い殺されたことに由来する私的な復讐心、パラディ島の同胞に襲いかかる巨人やマーレ軍にたいするナショナルな復讐心、あらゆる敵の絶滅をめざすファシスト的な復讐心の三レベルを貫通している。原初の巨人・ユミルは、ジークの「安楽死」ではなくエレンの「地鳴らし」を選択するが、主人公に人類絶滅のボタンを押させるという前代未聞の展開は、復讐の無限の連鎖に支配される不吉な未来を暗示している。じっさい最終巻で、エレンのしかけた絶滅戦争を生きぬいた「半人間」たちは、和解と平和を訴える使節としてパラディ島におもむくのだが、ラスト数ページは、復興したパラディ島の都市が爆撃機の大群によって空襲され、瓦礫と化す光景を無言で映しだすのだ。

ではユミルはなぜ、復讐戦の終結ではなく、その永遠の継続を望んだのか？ ——この謎を解く前に、『進撃の巨人』が二つのまったく異なる世界を強引に接続した「半作品」だという事情を見ておかねばならない。

第22巻で壁外をうろつく巨人たちを全滅させ、パラディ島全域を人間の手に奪還したエレンら調査兵団は、はじめて海を見る。エレンが調査兵団に志願したそもそもの動機は、巨人への復讐を果たすことと、壁の外に出て自由を味わうことだった。エレンの願いがかなったこの地点で、『鬼滅の刃』同様、作品を終わらせる手もあったはずだ。だが浜辺で波と戯れる仲間を横目に、エレンはこう問いかける。「壁の向こうには…／海があって／海の向こうには／自由がある／ずっとそう信じてた…／…でも違った／海の向こうにいるのは敵だ（中略）向こうにいる敵…／全部殺せば／…オレ達／自由になれるのか？」。――このおそろしい問いかけは、パラディ島に局限されていたナショナルな復讐戦が、全世界に燃えひろがるファシスト的な暴力に呑みこまれてゆくことを予告している。

第23巻の冒頭、視点はいきなり海を渡って大陸側のマーレに切りかわる。そして、それまで私たちが読んでいたパラディ島の物語が、「ユミルの民」ことエルディア人を「悪魔」と指弾しつつ巨人戦士として利用するマーレ人の眼で、いわば敵と味方を逆さにしたかたちで読みなおされてゆく。いつのまにか負傷兵としてマーレの病院に潜伏していたエレンも、前半とはまったく異なる人物に変貌している。すべてにひたむきで、仲間たちとの絆を大切にし、自らに刻みこまれた巨人の暴力に懊悩するエレンはもはやおらず、無表情のまま誰からも距離をとり、巨人化して民間人を大量虐殺することすら厭わないエレンが、人類の鏖殺めがけて突きすすむのだ。

世界とエレンに断絶をもたらしたものはなにか？――「進撃の巨人」にインストールされた未来予知能力である。父親もろとも巨人化の能力を喰らったトラウマ的な記憶をよみがえらせたエレンは、父親から継承した「進撃の巨人」の予知能力をつうじて、将来おのれが「地鳴らし」

を発動して人類の八割を滅ぼすことを予見する。子どものころから自由を夢見てきたアイデアリストは、未来を見ることで運命の軛（くびき）につながれたニヒリストに変貌する。……いや、そう簡単な話ではない。「地鳴らし」によって世界中の人びとが巨人に踏み潰されてゆく修羅場のはるか上空で、エレンが両手をいっぱいにひろげて叫ぶ言葉こそ、「自由だ」のひと言だからだ。

この戦慄的なシーンにおいて、自由と必然はどう絡みあっているのか？　アイザイア・バーリンの古典的な区別を参照しよう。「～からの自由 liberty from」である「消極的自由」は、他者からの干渉がない状態を指す。それにたいして「～への自由 liberty to」である「積極的自由」は、おのれの意志を実現する自律性を指す。『自由論』におけるバーリンの議論のポイントは、「積極的自由」には、自らが意志した道を他者にも押しつけることで、パターナリスティックな専制に陥る危険があることだ。ヒトラーがつねに「意志の勝利」を怒号したように、おのれが意志するものを「必然的な真理」として他者に強いるとき、「積極的自由」は全体主義に滑落する。そうした「残酷な世界」からの逃走線を引くところに、バーリンは「消極的自由」の意義を見たのだった。

壁の内側で生きることを強いられていた第22巻までのエレンが夢想していたのは、なにものにも行動を制限されない「消極的自由」だったが、「地鳴らし」による無差別大量虐殺を選んだ第23巻以降のエレンが叫ぶ自由は、文字どおり全人類を犠牲にしてでも自らの意志をつらぬきとおす「積極的自由」である。注目すべきは、「進撃の巨人」の予知能力によって未来を知ったエレンが、必然としてさだめられたコースをたどりつつも「自由だ」と叫んでいることだ。ここでエレンは、発狂寸前のニーチェが「およそ到達しうるかぎりの最高の肯定の形式」（『この人を見よ』）と呼んだ永遠回帰の思想に接近している。アガンベンによれば、永遠回帰は「あらゆる「このように在った」を「在ることをわたしはこのように欲した」に変容させる能力、つまりは運命愛（**amor fati**）」（『アウシュヴィッツの残りのもの』）であり、必然と自由を、運命と意志を一体化する思想である。だがアガンベンがいうように、「アウシュヴィッツが永遠にくりかえされることを欲するか？」という問いかけは、永遠回帰の思想的破綻を暴露する。じっさいエレンの「運命愛」の内実は、自分の味方以外の全人類を敵と見なして絶滅するというヒトラーやプーチンのファシスト的復讐心そのものであり、アウシュヴィッツが永遠にくりかえされることを欲する狂った意志にほかならない。

巨人の始祖・ユミルが、ジークの「安楽死」ではなくエレンの「地鳴らし」を選んだ理由は、だがまさにここにある。二千年前、エルディア国の初代の王であるフリッツに奴隷として仕えていたユミルは、彼女がもつ巨人化の能力を利用して世界制覇をなしとげ、ファシスト的な民族浄化をすすめようとするフリッツを愛していた。フリッツの性奴隷であり究極兵器でもある自らの運命をユミルは愛し、そして復讐の無限の連鎖を戦いぬくというフリッツの狂った意志を「必然的な真理」だと信じることにこそおのれの自由があると信じていた。だから彼女は、復讐戦を終わらせようとするジークの「安楽死」を蹴り、復讐鬼と化したエレンの「地鳴らし」を選んだのだ。

『進撃の巨人』の最後の謎も、ここから解かれねばならない。少女時代からエレンをいちずに愛しつづけてきたミカサが、「地鳴らし」を止めるためにエレンの首を刎ねたとき、エレンの要請をうけて自ら「地鳴らし」を発動したユミルが微笑むのはなぜか、という謎だ。フリッツの復讐戦の超兵器となることを自ら意志し、巨人が人間を喰う残酷な世界をおのれの運命として肯定してきたユミルは、愛ゆえにフリッツのファシスト的野望をすすんで受けいれた。だが、一貫して無表情な翳りとともに描かれる彼女の顔は、必然と自由が一つに溶けあった永遠の復讐戦という牢獄から解放されたいという無意識の願望を告げている。

「オレを止めたいのならオレの息の根を止めてみろ／お前らは自由だ」。そのエレンの言葉どおり、エレンの首を切断して「地鳴らし」を止め、彼の唇に別れの口づけをするミカサは、エレンへの愛ゆえに彼のファシスト的野望を切り裂いた。愛するがゆえにフリッツの復讐戦に巨人となってつきしたがったユミルは、愛するがゆえにエレンの復讐戦を断ち切ったミカサを見て、二千年ものあいだ囚われつづけた牢獄からついに解放されたのだ。

*

『鬼滅の刃』と『進撃の巨人』という現代日本きってのメガヒットは、大田洋子や林京子らの原爆文学、『ゲン』や『夕凪の街』などの原爆漫画、そして一九六〇年代以降の漫画やアニメにあらわれた「半人間」のイメージを継承しつつ、人間であって人間でないという矛盾を強いられ、社会から追放され迫害される「半人間」たちの復讐を、対照的なかたちで描きだした。『鬼滅の刃』は、それぞれの鬼の語りに耳をすますことによって、複合差別に苦しむ「半人間」たちを哀悼すべき存在に変え、彼らの復讐心を解毒してゆく。『進撃の巨人』は、巨人と人間のはざまを生きる「半人間」たちの復讐心をブレーキなしで暴走させ、戦争をどこまでもエスカレートさせる復讐の無限の連鎖を、人類絶滅の寸前まで突進させる。

これほどまでに強い訴求力を発揮できたのは、この二作が、私たちの現在に根本から欠けているものを突きつけてくるからではないか？　慰安婦に代表されるようなアジアの人びとの苦しみに耳をふさぐのは、私たちの聞く力の欠如を示してはいないか？　ウクライナ戦争の危機に乗じて東アジアを軍拡の渦に巻きこもうとするのは、復讐心への畏怖が足りないからではないか？　炭治郎やエレンにたいするただならぬ熱狂は、ひょっとして私たちの国が「半国家」でしかないことへの潜在的不安から生じているのではないか？

とはいえ、すでに見たようにこれら二つのメガヒットは、第一章で分析したベストセラー『同志少女よ、敵を撃て』と同様に、復讐心の昇華と和解の成就によって物語をしめくくっている。近年のブロックバスターだけではない。ナショナルな「原爆文学」からの大田の追放、「反戦反核」イデオロギーによる『ゲン』の去勢、林や青来ら長崎出身の作家にとり憑いた「恩寵（グレイス）」という呪縛、……これらすべては、敗戦直後から現代にいたるまで日本人がひたすら復讐心を抑圧してきたことを証していないだろうか？　急激な人口減少と出口の見えない不況、近隣諸国との関係悪化と迷走する内政に蝕まれて満身創痍となった二十一世紀の日本は、敗戦の荒廃から奇蹟的な経済成長を遂げたアジアきっての先進国から「半国家」へ滑り落ちたのではなく、戦後の歴史をつうじて日本はずっと「半国家」でしかなかったのではないか？　三発目の原爆を落とされても憎悪や復讐心をもちえない国など、「半国家」以外のなんだろうか？　この「半国家」の歴史の源にはなにがあるのか？

「半人間」たちのおびただしい叫び声は、そう問いかけている。

＊1　たとえば、家族を殺されたマックスの私的な復讐心は、「黒い川の流れに」で米兵に梅毒を伝染そうとする娼婦の「弟の最後の声がいまもこの耳にやきついているんです…この耳に　かあちゃーんあついよーあついよーという声が」という訴えに、ミハイルのナショナルな復讐心は、「黒い雨にうたれて」の殺し屋の「この広島でやった罪にアメリカ人は刑に服すのがあたりめえ」という宣告に、敵の絶滅をめざすアッバのファシスト的な復讐心は、「黒い糸」で被爆者差別に苦しみ自殺した娘の父親が叫ぶ「もう一度日本に原爆が落ちて／日本人全部が被爆者になればいいんだ」（「／」は吹きだしによる区切りを示す。以下同）という呪言に刻まれている。

＊2　二〇〇六年〜〇九年にかけて『漫画アクション』などに連載され、二〇一六年に片渕須直監督によってアニメ映画化されたこうのの『この世界の片隅に』（双葉社）は、戦争と敗戦の激動を背景に、広島近郊の軍港呉に嫁いだ浦野すずという「ふつう」の娘の日常を描いた作品である。すずの両親が原爆で殺されることや、妹が原爆症に冒されている点などに『夕凪の街』との連続性を見出せるが、『この世界の片隅に』には「敵」にたいする怒りがはっきりと書きこまれている。玉音放送を聞いて敗戦を知ったすずは「最後のひとりまで戦うんじゃなかったんかね？／いまここへまだ五人も居るのに！／まだ左手も両足も残っとるのに!!／うちはこんなん納得出来ん!!!」と叫び、地につっぷしてむせび泣く（下巻92ページ以下）。また、不発弾の爆発によってすずが利き手の右手を失ったあとの背景の多くを、こうのが利き手ではない左手で描いていることにも注目したい。戦争によって「半人間」化されたすずの「歪み」を、自ら「半漫画家」になって歪んだ線でかたどってゆくこうのは、表象される者にたいする表象

する者の優位を相対化し、欠損とぎこちなさを介してすずと自らをつないでいる。

＊3　林は『被爆を生きて　作品と生涯を語る』（島村輝聞き手　岩波ブックレット）で「私の日本語の原風景としてあるのは、中国大陸です」「上海の原風景で出来上がった私の日本語は、非常に即物的でしたから、八月九日を書くのに都合のいい言葉でした」と述べている。林と同じように、自らの文学言語を中国大陸で鍛えあげ、国際都市上海で大日本帝国の倨傲と敗戦国日本の惨憺のめくるめく交代を目撃した作家に、武田泰淳がいる。滅亡につぐ滅亡に『史記』の本質を見出す武田の感傷とは無縁な批評性は、原爆による滅亡を描く「祭りの場」の即物的な文体に通じる。また武帝の怒りをかって去勢され、「生き恥」をさらした司馬遷に深く惹きつけられた武田は、「半人間」への感受性の鋭さも林と分けあっている。

＊4　ナショナルな復讐心とは無縁な『鬼滅の刃』において、鬼殺隊の武器が「日輪刀」であり、炭治郎の耳飾りが「旭日旗」を模しているのは一見矛盾している。だがこのことは新自由主義と新保守主義の共犯関係によって説明できる。デヴィッド・ハーヴェイによれば、フリードリヒ・ハイエク／ミルトン・フリードマン的な新自由主義は二つの点でナショナリズムを必要とする。①新自由主義的な法や制度を強制的に整備・施行するため。②新自由主義が不可避的にまねく階級分断を糊塗し、敵を圧倒する軍事力や伝統的道徳の強調によってナショナルな統合を仮構するため（『新自由主義　その歴史的展開と現在』作品社）。新自由主義（ネオリベ）と新保守主義（ネオコン）は一見正反対のイデオロギーに見えるが、デリダ的にいえば後者は前者の「代補（シュプレマン）」なのだ。新保守主義のファンタスムが先鋭化したところに、「われわれ」の絆を最

大限に強化する戦争が出現するのは自明だろう。鬼と鬼殺隊の戦争は、強い者だけが生き残り敗者は物語の外部へ打ち棄てられる新自由主義的な闘争の場だが、実力者である「柱」たちに比して階級が下の隊員たちの死亡率がきわめて高いことは作中で何度も強調されている。じっさい下級隊員たちが鬼に大量虐殺される悲惨なシーンも多い。新自由主義的なサバイバル戦が、階級対立と隊の分裂を招来することを懸念した作者が、「長男」の自覚といった炭治郎の古風な家族観とともに、「日輪刀」「旭日旗」などのナショナルなアイテムの導入によって鬼殺隊の統合を担保しようとしたのは理にかなっている。

第三章　復讐戦のかなたへ　安倍元首相銃殺事件と戦後日本の陥穽

殺してはならない。

旧約聖書　出エジプト記　第二十章十三節

人を打って死なせた者は必ず死刑に処せられる。

同右　第二十一章十二節

1　あなたは、なにを見ながら撃ったのか？

二〇二二年七月八日の事件について、私の頭にこびりついて離れない、ひとつの問いがある。奈良市の近鉄大和西大寺駅前に置かれた小さな台に立ち、参議院選挙の応援演説をしていた安倍晋三元首相が、衆人環視のもと、銃弾を浴びて殺された事件については、すでに多くのことが語られてきた。現行犯逮捕された山上徹也（当時四十一歳）が、自殺した父と兄、そして統一教会に洗脳された母という壊れた家庭に生まれ育った宗教二世として、どれほどの貧困と苦難と屈辱を味わったか、誰もが手にとるように知っている。周囲の人びとの証言や山上のツイートなどによって、自らの人生に絶望し、母へのねじれた愛憎に引き裂かれつつ、統一教会に激しい復讐心をつのらせていったロスジェネ世代の中年男の心の暗がりを、私たちは仔細にのぞき見ることができる。なぜ教団のトップではなく安倍を狙ったのか。凶器となったパイプ銃がどのようなプロセスで自作されたのか。ネットや雑誌にあふれる情報は、その決断や製作の現場を、まるでじっさいに見ているかのように巧みに再構成してくれる。

ある意味で私たちは、すでに山上以上に彼のことを知っている。山口二矢以上に彼のことを、永山則夫以上に彼のことを、加藤智大以上に彼のことを知っていたように。半年近くにわたる鑑定留置の末にようやく「責任能力」を認められた山上は、二〇二三年一月十三日、殺人と銃刀法違反の罪で起訴された。しかし法廷で山上がなにを語ろうと、たぶん真の驚きはあるまい。彼の証言は大々的に報じられ、山のようなコメントを付されるだろうが、結局はすでに私たちが手に入れ、磨きをかけてきた宗教二世の悲劇の、小さな欠落を埋めるピースに還元されてゆくだろう。

だが、私はひとつだけ、山上に直接訊いてみたいことがある。

――あなたはあのぶかっこうな散弾銃を、単発ではなく二射連発できる仕様で製作していた。初弾でしとめられなかったとき、照準をつけなおして次弾を命中させるという確実性を期した工夫だったろう。じっさいの経緯もそうなった。左拳をふりあげて熱弁する安倍元首相と、周囲で警護するSPらの死角をついて背後から接近したあなたは、殺害相手が「彼はできない理由を考えるのではなく」と声をはりあげた直後――皮肉なことだが、きっと「彼はできる理由を考える」ないし「彼はできる方法を考える」といった煽り文句がつづく予定だったのだろう――約七メートルの距離で轟音とともに一発めを発射した。そして約二・七秒後、対象にさらに近づいた約五・三メートルの地点から二発めを発射する。首付近に命中した弾丸によって心臓と胸部の大血管を破られた安倍元首相はその場にくずおれ、即死した。あなたはこのすべてを当事者として間近に見た。

私が知りたいのは、二発めを撃つ瞬間だ。一発めがはずれたとき、よもや銃声とは思わなかったろう安倍元首相が、背後を緩慢にふりかえる映像が残されている。憲政史上最長八年八ヵ月の首相在任期間を誇る大物保守政治家の眼に最後に飛びこんだのは、自らを狙う銃口だったのか、それを両手でかまえる犯人だったのか。それを知ることはもはやできない。

だがあなたには訊くことができる。

あなたは、パイプ銃に残った最後の弾丸を発射するスイッチを押したとき、なにを見ていたのか？　あなたは、ふりむいた「敵」の呆然とした顔を見ながら、その顔にむけて撃ったのではないか？

＊

山上徹也とはちがう意味ではあるが、安倍晋三もまた「家」に強く囚われた男だった。「家族愛」という保守道徳を政治信条としていただけではない。父は外相や自民党幹事長をつとめた安倍晋太郎、父方の祖父の安倍寛も衆議院議員だった。母方の祖父は首相をつとめた岸信介、岸の実弟で、安倍自身が抜きさるまで連続首相在任記録のホルダーだった佐藤栄作は大叔父にあたる。政治家になることを運命づけられた家系に生まれたのが安倍晋三だった。

安倍がとりわけ岸に強い影響を受け、祖父の果たしえなかった自主憲法制定を生涯の念願としていたことはよく知られている。「昭和の怪物」と呼ばれた岸は、大日本帝国と戦後日本の連続性をグロテスクなかたちで体現したモンスターだった。革新官僚として満州の統制経済をとりしきったのち、東条英機内閣に商工相として入閣した岸は、対米開戦の詔勅に署名している。戦後はA級戦犯として巣鴨プリズンに収監されるが、東条らが処刑された翌日に放免され、自民党初代幹事長として五五年体制を主導した。満州国／対米戦争／東京裁判／五五年体制という、近代日本における屈指のビッグイベントにつねに居合わせた「怪物」が最後に主役として関わったのも、戦後日本最大のビッグイベントといってよい一九六〇年の安保闘争だった。

小熊英二は『〈民主〉と〈愛国〉 戦後日本のナショナリズムと公共性』（新曜社）で、安保闘争を、デモクラシーとナショナリズムの抱合を夢見た「戦後思想」の最後の大噴火と位置づけつつ、日米安保改定を強行したスーパーヴィランについてこう書いている。「岸には、官僚的な権威主義、アメリカへの従属、戦争責任の忘却、そして「卑劣」さといった、戦後思想が嫌悪してきたもののすべてが備わっていた」。——白井聡にならい「アメリカ」と「天皇」を互換可能と見なせば（『国体論　菊と星条旗』集英社新書）、岸は「戦後思想」が忌み嫌った〈戦前的なもの〉の亡霊めいた回帰だったといえる。だが、私たちがいま〈戦後的なもの〉をふりかえるとき、官僚的な権威主義、アメリカへの従属、戦争責任の忘却、そして「卑劣」さ以外のものをどれだけ発見することができるだろうか？〈岸的なもの〉は、昭和天皇とともに、あるいは彼以上に、戦前と戦後をつなぐねじれたリンケージを具現しており、鶴見俊輔がいうように、一九四五年を境にまっ二つに切断された昭和という時代を裏面から縫合する「見事な単一の象徴」（『根もとからの民主主義』）なのだ。

その「怪物」から安倍は、「官僚的な権威主義、アメリカへの従属、戦争責任の忘却、そして「卑劣」さ」のすべてを相続した。遺産目録はそれに尽きない。安倍長期政権をドライヴしたのは、敬愛する祖父を不当に責めさいなんだ「愚民」への反感であり、それら「愚民」の背後で糸をひくアカどもにたいする陰謀論的な反共イデオロギーだった。憲法改正と反共と「愚民」蔑視。祖父から伝授されたこの三種の神器以外、なにももちあわせない三代目。それが安倍晋三という政治家だった。祖父の仇をとるという復讐心。それのみが彼の全キャリアを支えていたといってもよい。

しかし、安倍が「怪物」から相続した反共イデオロギーには、ひとつの汚点（シミ）がこびりついていた。「勝共」を呼号して岸、そして父の安倍晋太郎に巧みに取り入った文鮮明（ムンソンミョン）の統一教会である。このカルト教団の非道な悪辣ぶりについては、櫻井義秀／中西尋子『統一教会　日本宣教の戦略と韓日祝福』（北海道大学出版会）や山口広『検証・統一教会　霊感商法の実態』（緑風出版）などに、第二次安倍政権時の政界への根深い浸透ぶりについては、鈴木エイト『自民党の統一教会汚染　追跡３０００日』（小学館）などに詳述されており、ここで屋上屋を架すことはしない。だがそれらの本を読み、統一教会関連の膨大な報道にふれた現在でも、どうしても呑みこみがたいことがある。

　筋金入りの反共イデオローグでＣＩＡと密接な関係にあった岸や、やはり元Ａ級戦犯で右翼のフィクサーだった笹川良一に接近した当時の統一教会は、なるほど「勝共連合」の旗をかかげていた。だが冷戦体制が崩壊するや、早くも一九九一年に文鮮明は北朝鮮を訪問し、共産主義者であるはずの金日成（キムイルソン）と義兄弟の契りを結んでいる。冷戦終結によって倒壊した五五年体制に代わる政治の軸を見出せず、〈反共＋経済成長〉のアナクロなカップリングにしがみつく日本が不況にあえぎつつ右傾化する一方で、祖国統一を謳（うた）う朝鮮／韓国ナショナリズムにすばやく乗りかえた統一教会は、攻撃のマトを日本に絞っていた。神に選ばれし〈アダム国家＝韓国〉に婢（はしため）たる〈エバ国家＝日本〉はとことん屈従せねばならない。そして、畏れおおくも朝鮮半島を植民地支配した償いとして、統一教会に無尽蔵の金を貢ぎ、大量の女を捧げねばならない。――数千億ともいわれる巨額の献金にくわえ、七千人もの女性を性奴隷ともまがうしかたで日本から吸いあげた背後には、こうした露骨に反日的な教説があった。

　祖父と父が日本に押しつけた負債を放置するどころか、そのさらなる増悪に邁進するのは、売国の誹（そし）りをまぬかれない悪行だ。だが安倍と傘下の者たちは平然とそれをやってのけた。――保守ナショナリズムの巨魁である岸の血を継いだ安倍晋三は、「美しい国、日本」をとなえる生粋の愛国主義者ではなかったのか？　長びく不況で自信を喪失した日本人に国の誇りをとりもどすことを確約しつつ、従軍慰安婦や戦時徴用などの問題を旧植民地の不当な言いがかりとして切りすてるタカ派の姿勢が、ネトウヨを含めた保守陣営の喝采を呼んだのではなかったか？　そもそも安倍が政界の中央に躍りでるきっかけは、多くの日本人家庭を暴力的に破壊した北朝鮮による拉致問題への強硬な態度ではなかったか？

　その生粋の愛国者が、なぜ、日本近海に次々にミサイルを撃ちこみ核開発にのめりこむ独裁国家と密接なつながりをもつ団体と、デフレ不況にのたうちまわる日本から巨額の資金を巻きあげ、マインドコントロールした数千人もの日本人女性を国外へ連れさる団体と、あからさまな反日イデオロギーのもと、日本の植民地支配にたいする苛烈な復讐戦を核心的な教義とする団体と、平気で手を組めたのか？　「家族愛」を言祝（ことほ）ぐ保守政治家が、霊感商法や高額献金によってできるだけ多くの日本人家庭を暴力的に破壊せよ、と命じた教団総裁韓鶴子（ハンハクチャ）に、どうして手放しの賛辞を送ることができたのか？

　選挙協力を得るため。これがいちおうの答だ。だがこの答は、問いの重大さを愚弄している。統一教会関係の票は八万ほどとされる。憲政史上最長の首相在任期間を誇る大物政治家が、自らの政治的核心であるナショナリズムを、長期にわたる国民からの重い負託を、そしておのれのたったひとつしかない命を、たかだか八万票とひきかえに売りわたせるものだろうか？
おそらくここには、安倍個人を超えて連綿とつづく暗渠（あんきょ）がある。敗戦後の日本の歴史を歪（ひず）ませている息の長い倒錯がある。――ひと言でいおう。安倍元首相は、「復讐」という情念がはらむ激しさと執拗さを「ナメて」いたのだ。さきに、政治家安倍晋三を衝き動かしたのは、祖父の仇をとるという復讐心だと述べた。じっさい安倍は、敵／味方を峻別し、敵をとことん攻撃するという分断的な政治手法を好んで採用することで、親安倍と反安倍の双方にけわしい復讐心を植えつけた。だが、その安倍ですら甘く見ていたのだ。侵略戦争と植民地支配の過去が生みだした復讐心を。そしてその復讐心のエジキとなって家庭を粉砕され、「半人間」として社会の底辺で生きることを余儀なくされた者の復讐心を。――

統一教会にむけられた復讐の弾丸が自らの心臓をつらぬくとは、安倍は思ってもみなかったにちがいない。そんな奇怪な復讐の連鎖におのれが組みこまれているとは、これっぽっちも想像しなかったにちがいない[*1]。だが安倍の死角から近づいてきた男は、復讐の連鎖に全人生を囚われていた。そうでなければ一年以上かけて一人きりで一から銃を作りあげるなどという愚行に打ちこめはしない。殺害能力があることを事前にたしかめたうえで、生きた人間に銃口をむけることなどできはしない。ふりかえった相手にためらわず発射することなどできはしない。無防備な顔めがけて弾丸をはなつことなど、けっしてできはしないのだ。

戦争の暴力をどこまでも昂進させる「復讐の無限の連鎖」から日本人が眼をそらしていること

（第一章）。「半人間」として社会から疎外された者たちの復讐心を日本人が抑圧してきたこと（第二章）。本書は、復讐への畏怖を欠いていることが、日本人の歴史観と現実感覚を歪ませているのではないかと問題提起してきた。敗戦後の日本人は、神がモーセにあたえた「殺してはならない」という戒律を、アメリカ人にあたえられた「平和主義」に読みかえて、長く国是として奉じてきた。だが日本人は、十戒が刻まれた同じ「出エジプト記」に、「人を打って死なせた者は必ず死刑に処せられる」という同害復讐（タリオ）の法が書きつけられているのを、故意に読み落としてきたのではないか？　「殺した者は殺される」という復讐の連鎖につねにすでに足元を脅かされているという畏怖なしには、「殺してはならない」という戒律は真の強度を保持しえないという緊張感が、私たちには欠けていたのではないか？　その欠落が日本の「平和主義」を空文化し、歴史の複雑さと現実の苛酷さから眼をそらす「半国家」へ日本をおとしめてきたのではないか？

　具体的にいおう。私たちの「平和主義」が眼をふさいできたのは、たとえばこの問いかけだ。顔を見ながら相手を撃つという反人間的な行為を、なぜ人間はなしうるのか？

2　撃った者と撃たなかった者

第一章でふれたソ連邦英雄リュドミラ・パヴリチェンコは、敵兵の顔におびただしい銃弾を撃ちこんだ凄腕スナイパーだった。

オデッサとセヴァストポリの戦闘で積み重ねた狙撃スコアによって一躍祖国のヒーローとなった彼女は、一九四二年初頭、SVT-40狙撃用ライフルのスコープを覗きこむ顔を至近距離でとらえた広報用の写真を撮影されている（『最強の女性狙撃手』口絵写真11-13）。パヴリチェンコの美しい憂い顔にみなぎる緊迫感は、ベストセラー戦争小説『同志少女よ、敵を撃て』のカバーイラストの、同型のライフルを構える美少女の青い眼がはなつインパクトにまっすぐつながっている。だが本来、狙撃兵にとってこういう撮影(ショット)は忌み嫌うべきものであるはずだ。敵のスコープが私の顔を映しだした瞬間、すぐさま飛んでくる一発(ショット)によって私は殺される。それが戦場の掟だからだ。翳(かげ)りをおびた彼女の写真は、監獄で撮影された死刑囚ルイス・ペインの美しい憂い顔に「彼はすでに死んでおり、しかもこれから死のうとしている」という前未来の時制を、過去と未来の息づまる錯乱を読みとったロラン・バルトの考察を思いださせる（『明るい部屋　写真についての覚書』みすず書房)。

　バルトが死刑囚の顔に見出した時制をめぐる美的な錯乱は、戦場では時制をめぐる苛酷な闘争としてあらわれる。敵のスナイパーにスコープ越しに顔を見られたとき、私はすでに死んでいる。すなわち過去形で語られる存在になっている。私が自らの生を未来へ繰り延べるためには、一瞬でも早くフィールドに敵兵の顔を見つけ、躊躇なく引金を絞って相手を過去形へ葬り去らねばならない。――スナイパーたちのこの過去(死)と未来(生)をめぐる緊迫した闘争にさらなるテンションを乗じるのは、『全体性と無限』でエマニュエル・レヴィナスが示した「顔」をめぐるアンビヴァレンスだ。「暴力がめざしうるのは顔だけだ」と書くレヴィナスは、「暴力と形而上学」でデリダが指摘したように、暴力を禁止しつつも挑発する顔の根源的な両義性を正確に照準している。レヴィナスが見すえたアンビヴァレンスを、ジュディス・バトラーは彼女自身のキーワード「不安定さ(プレカリティ)」を用いてこう表現する(『戦争の枠組』)。「レヴィナスにとって暴力とは、顔をつうじて伝えられる他者の不安定な生と遭遇した主体が感じるかもしれない、ひとつの「誘惑」である。(中略)顔が無防備であるというまさにそのことが、禁止されている攻撃性をかきたてるのだ」。顔の無防備さが、そしてそこに露呈する他者の「不安定さ(プレカリティ)」が、それをまなざす者に、顔を破壊したいという「誘惑」とその「禁止」を同時にもたらす。「自分に合う射撃法」として「敵の目と目のあいだを撃つ」ことをあげるパヴリチェンコは、スコープに無防備な顔をとらえて引金を絞る瞬間、「殺してはならない」という禁止を聞くことなく、ひたすら暴力の誘惑に身をまかせたのだろうか？

　ここで私たちは、大岡昇平の『俘虜記』の有名なシーンを引き合いにすることができる。駐屯していたミンドロ島に米軍が上陸したことによって敗走を余儀なくされた大岡は、マラリアに憔悴してひとり林のへりに倒れていたとき、「二十歳位の丈の高い若い米兵」が近づいてくるのを見る。米兵は大岡に気づかず、「深い鉄兜の下で頬が赤かった」と描写される無防備な顔をさらしたまま、銃の安全装置を外した大岡にむかって大股で接近してくる。しかし大岡は撃たず、米兵も大岡に気づかぬまま別の方角に消える。大岡は無防備な顔から「殺してはならない」という禁止がいかにして発現したのか、捕囚中のみならず帰国後もくりかえし省察しつづけることになるだろう。

　撃ったパヴリチェンコと撃たなかった大岡の差異は、むろん二人の年齢や、狙撃訓練の有無や、志願兵と徴集兵といった違いもあるだろうが、それだけに還元できるものではない。歩兵は白兵戦において、自分にむけて銃剣を突きだす敵の殺意にみちた顔を見る。砲兵や戦車兵は敵の顔を見ずに砲弾を発射して遠方の相手を撃滅する。だが狙撃兵は、無防備な敵の顔をスコープでじかにまなざしつつ、それめがけて銃弾をはなつ。――俯瞰（マクロ）と接写（ミクロ）をシームレスに結合する狙撃兵の特殊な視角が『同志少女よ、敵を撃て』に固有の魅力を構成しているのを私たちは第一章で見た。だがこの視角には、やはり死角がひそんでいないだろうか？　狙われていることすら気づいていない無防備な顔をためらいなく撃ちぬくには、いったいなにが必要なのだろうか？　大岡をとらえた「殺してはならない」という禁止を飛びこえることを可能にするのはなんなのだろうか？

アレクシエーヴィチの原作を漫画化した小梅けいとの話題作『戦争は女の顔をしていない』（KADOKAWA）では、胸を掻きむしられるようなシーンが次々に描かれるが、とりわけショッキングなのは、女性狙撃兵が無防備な敵兵の顔をスコープのT字照準の中心にとらえ、その顔を撃ちぬく瞬間である（第1巻第3話・第2巻第9話）。コマ割りや漫符やオノマトペによって静止画のシークエンスに映画やアニメとはまったく異なるダイナミズムをもたらす漫画独特のインパクトが、突如飛来した弾丸に眉間を撃ちぬかれる顔を見ることへの「誘惑」と「禁止」を、引金を絞るさいにスナイパーを襲っただろうそのアンビヴァレンスを、読む者の眼にまざまざと突きつけてくる。

どうすればこのアンビヴァレンスを撃ちぬけるのか？

＊

パヴリチェンコの回想録は複雑な屈折にみちている。たとえば彼女の文章には、随所に民族的／人種的偏見がまぎれこんでいる。キエフ大学で学んだ過去とパヴリチェンコという姓から「ウクライナ人なのか？」と不満げに問うてきた師団長にたいし、彼女は「違います、同志少将！」

と即答し、「わたしはロシア人です。旧姓はベロヴァといいます。パヴリチェンコは結婚後の姓にすぎません」と苛立ちもあらわに否定している。ここには、ウクライナに侵攻したプーチンの妄念にまっすぐつながってゆくような、ロシア人のウクライナ人にたいする民族的優越感があからさまに表現されている。

ソ連派遣団の一員としてアメリカに赴き、黒人差別を告発する報告書を書いたパヴリチェンコは、一方で、スコープ越しに見たルーマニア兵の顔を「ジプシーだか東洋人だかよくわからないような顔」と嘲笑し、「ルーマニア人がもつ無責任というジプシー気質」をとことん蔑んでいる。「オスマン帝国」の卑しむべき影響のもとで「ジプシー気質」の怠惰と混乱に麻痺したルーマニア人にたいし、宿敵たるドイツ人は「時間に厳格で用意周到」として高い戦闘力を認められている。また彼女は、同じ師団に所属する将校で、のちに戦場で新婚生活を送ることになる夫アレクセイの第一印象について、「彼のような男性——背が高く、スタイルがよくて青い目で金髪——が好みだったということも言い添えておこう。個人的には、そうした男性のことを「ヴァイキング」と呼んでいた。はるか北の海の勇敢な戦士だ」と惚気(のろけ)たっぷりに書いている。しかしこうした「好み」は、オイゲン・フィッシャーやハンス・ギュンターが唱えてヒトラーやヒムラーにインスピレーションをあたえた「支配者としての北方人種」という呪われたカテゴリーを想起させる。

ヒトラーの世界観の核心をなしたレイシズムが筆舌に尽くしがたい惨禍をもたらした理由は、

それればかりか、かつてナチスが主張した「人種」の科学的基盤が完全に否定された現代にあっても世界中で差別と迫害のテロルを生みだす元兇でありつづけている理由は、レイシズムが敵／味方のシュミット的分断を最大限に押しひろげるイデオロギーだからだ。「われわれ」と「やつら」は人種が異なる。いったんこのテーゼを受け入れてしまえば、ナショナリティやジェンダーやクラスの差異の前に、そもそも生物としての存在のありようが根本的に異なっているのだから、「われわれ」が享受しているような人権を中核とする法的権利や、愛や憐れみといった道徳的絆を「やつら」に認める必要はなくなる。法や道徳の圏内から弾き飛ばされた「やつら」は、人間に依存し寄生する動物まがいの「半人間」にすぎず、最終的にはその存在自体が罪である「反人間」として絶滅すべき対象となる。――アーレントが『全体主義の起源』で描きだした全面殺戮へひた走る坂道は、人種主義からほとんど「論理的」に導きだされる帰結である。

もちろん私は、パヴリチェンコをヒトラーやプーチンの同類だと決めつけたいのではない。ただ、一歩まちがえばレイシストに見まがうほど強烈な敵／味方意識がなければ、スコープにうつる無防備な顔を撃ちぬくという反人間的な行為はなしえないのではないか、といいたいのだ。[*2]

パヴリチェンコは戦後、アルコール依存や戦傷の後遺症に終生苦しめられたが、その心身の葛藤の源には、戦い終えて四半世紀が経ったのちもなお回想録のあちこちに生々しい傷を穿つ、敵の顔をめぐる矛盾と錯乱がある。自分の人生と戦争の展開を時系列に沿って追いながら、彼女はまるで亡霊にとり憑かれたかのように、狙撃した敵の顔へくりかえし回帰してゆくのだ。「敵の目と目のあいだを撃つ」のを自らの射撃法とし、戦場に残された死体から自分の撃った兵士を探しだして狙撃手用のノートに逐一記録しながらも、撃った相手の顔など覚えていないと断言するパヴリチェンコは、訪米時にエレノア・ローズヴェルトにこう問いかけられる。「敵の顔が望遠照準器を通してはっきりと見えたとしても、それでも射殺する。リュドミラさん、アメリカ人女性にとっては、そんなあなたを理解するのはむずかしいでしょうね」。自分を理解不能なモンスターと見なす大統領夫人に、パヴリチェンコは心中でこう答える。「正確に狙いをつけて放つ銃弾は、残忍な敵に対する報復にすぎない。夫はセヴァストポリで、わたしの目の前で命を落とした。わたしにかぎって言えば、わたしのライフルの望遠照準器を通して見えた顔はすべて、夫を殺した敵のものなのだ」。だが戦後の演説で彼女は、狙撃手同士の決闘についてこう述べるのだ。「照準器越しに敵狙撃手の目が見え、髪の色もわかりますが、敵にも自分のことが同じように見えています。ここまでくると、ほんの一瞬の差ですべてが決まるのです」……。

パヴリチェンコは敵の顔を覚えていない。だが同時に彼女は敵の髪の色さえはっきり見わけている。スコープのなかの顔は「敵」という一般的カテゴリーに溶けいった無人称の存在だ。だが同時にそれは、死体と化したあとでも自分が撃ったと特定できる個性をそなえたなにものかなのだ。——顔をめぐるこの激しい動揺を、パヴリチェンコはいかにしてのりこえたのか?

復讐心。狙撃ライフル以外の唯一の武器はこれだった。パヴリチェンコの長大な回想録を黒々と染めぬいているのは、敵にたいする激しい復讐心である。独ソ開戦の翌日にすぐさま募兵事務所に駆けつけて軍への志願を申しでた彼女は、本格的な戦闘に参加する前に早くも復讐を誓っている。「わたしの頭にあったのは復讐だった。それは避けられないことであり、抑えがたい気持ちだった。わたしの祖国の平和な生活を乱暴に踏みにじった西からの侵略者は、手痛い代償を支払うことになるだろう。ライフルをこの手に取りさえすれば、わたしは敵を罰することになるはずだ」。

パヴリチェンコがはじめて敵を撃ったのは、開戦から一月半ほど経った八月八日のことだが――彼女は「この日を決して忘れない」と書き残している――、そのとき彼女はルーマニア兵二人を殺すのに七発の弾丸を要した。「集中しようとするわたしの頭になにかがよぎったのだ。板に描かれたターゲットを狙う訓練を卒業して、狙撃手が初めて生きている敵を撃つときに、こうしたことがときたま起こると言われている」。ここでいわば伏せ字にされている「なにか」とは、無防備な顔をめぐるレヴィナス／デリダ／バトラー的なアンビヴァレンスだ。スコープにとらえた敵の顔に「なにか」を、つまり「撃て」という誘惑と「撃つな」という禁止を同時に読みとったことが、天性のスナイパーである彼女に五発の「無駄弾」を撃たせたのだ。さきに見たルーマニア人を「ジプシー」に擬する人種差別的な侮言は、この初陣の直後に書きつけられている。無防備な顔が発する「殺してはならない」というメッセージを撃ちぬくためには、レイシズムに見まがうほど強烈な敵愾心で復讐の誓いを煽りたてることがどうしても必要だったのだ。

その後も回想録を鼓舞するのは、敵への執拗な復讐心である。レイプされた農家の娘の「あいつらを殺して。どれだけたくさんいたとしても、皆殺しにして」という嘆願に「やるわ、約束する」と答えたパヴリチェンコは、狙撃手は無防備な敵を狩った冷酷な殺人者だという戦後に湧きあがった非難にたいし、「あいつらを殺して！」という娘の叫びを、それこそ復讐めいた激しさでたたきつけている。セヴァストポリの砲撃で結婚したばかりの夫アレクセイが被弾したとき（彼は翌日に死亡する）、同時に重傷を負ったパヴリチェンコは「あいつらを生かしてはおかない。フリッツはあの人を殺した罰を受けるわ。あいつらに仕返ししてやるのよ」と病院のベッドで叫んでいる。

パヴリチェンコの顔入りで前線に大量配布されたビラの、「敵を撃て、はずすな！」という檄（げき）からほとばしる復讐心の凄まじさを見よ。

敵から奪い返したある村で、わたしは一三歳の少女の遺体を見たことがある。ナチはこの少女を切り刻んでいた。自分たちの銃剣の腕前を見せ合ったのだ。まるで獣（けだもの）だ！　ある家の壁には脳みそが飛び散り、そばには三歳の子どもの亡骸があった。その家にはドイツ兵たちが入り込んでいたが、その子が泣き叫んで騒いだため、ゆっくりと休憩を取ることができなかったのだ。獣（けだもの）たちはその子の母親に子どもを埋葬することさえ許さず、そのかわいそうな母親は正気を無くしてしまった…。

憎しみは多くのことを教えてくれる。わたしは敵を殺すことを学んだ。わたしは狙撃手。

オデッサとセヴァストポリでは、わたしの狙撃用ライフルでファシストを三〇九人倒した。憎しみによってわたしの目と耳は鋭敏になり、わたしは狡猾に、抜け目なく立ちまわるようになった。憎しみは、わたしにカムフラージュを駆使して敵を欺き、敵のずる賢さと罠を予測することを教えてくれた。憎しみによってわたしは、敵狙撃手を何日もかけて仕留めることを学んだのだ。

復讐を願う火のように熱い思いを消すことはできない。わが祖国にひとりでも侵略者がいるかぎり、わたしの頭にあるのはただひとつ、敵を殺すことだけ。戦友や、同胞である市民にかける言葉もただひとつ。ナチを殺せ！

「戦友よ、同志市民よ、敵を撃て、ナチを殺せ！」……残虐きわまる獣（けだもの）／敵と、復讐に燃える戦友／味方をパフォーマティヴに立ちあげるこのシュミット的命法が、そしてこれのみが、おしよせる顔の亡霊たちを追いはらう彼女の護符だったのだ。

パヴリチェンコにかぎった話ではない。赤軍やパルチザンの一員として独ソ戦を戦った女性たちの証言をあつめたアレクシエーヴィチの『戦争は女の顔をしていない』も、狙われていると気づいていない敵兵が自らの放った銃弾で死ぬ瞬間を目撃したことに最初は動揺して泣きむせんだが、ウクライナで焼け焦げた味方兵士の骨を眼にしてからは激しい復讐心にとり憑かれ、その後は「いくら殺しても哀れみの気持ちはおきなかった」という女性スナイパーの声をつたえている。

無防備な顔が発する「殺してはならない」という禁止をパヴリチェンコらに飛び越えさせたのは、「われわれ＝味方」にたいして「やつら＝敵」が行った非道に報復せよ、という復讐(タリオ)の法だった。つのりゆく敵への憎悪は味方へのさらなる同一化を呼び、たがいにたがいを強化しあう。「ナチを殺せ！」と叫ぶパヴリチェンコは、一方で戦闘のさなかで育まれる同志愛を絶対化し、「自分の命を捨てても同志の命を救え！」という鉄則をファナティックに奉じている。

「敵を撃て、はずすな！」という督戦のスローガンは、戦争という例外状態において友／敵を分割するシュミット的主権者のパフォーマティヴな命法を、いわばスナイパー語で翻訳したものだ。味方を撃って死なせた敵は必ず死刑に処せられる。顔を見ながら人間を撃つという反人間的な行為を可能にしたのは、旧約聖書に刻まれたこの復讐心にほかならない。

＊

戦場で米兵の無防備な顔に遭遇し、銃の安全装置を外しながらもけっきょく撃たなかった大岡になかったのは、パヴリチェンコを衝き動かしたシュミット的な命法だった。つまり彼には、敵への復讐心も味方への同調心も欠けていた。三十五歳の中年の補充兵として、敗戦の一年前にフィリピンの前線に送られた大岡は、「貧しい日本の資本家の自暴自棄と、旧弊な軍人の虚栄心」

からはじめられた戦争が「負け戦」だと、出征時に明晰に悟っていた。しかも大岡の戦場は祖国から遠く離れた異国の島であり、米軍の日本本土にたいする戦略爆撃が凄惨をきわめ、ついには二発の原爆によって数十万人もの同胞が瞬時に焼き殺されたのは、大岡がすでに俘虜として収容所に送られたあとのことだった。

米兵を撃たなかった理由について反省する大岡は、「敵を憎んではいなかった」ことを最初に確認している。一方で彼は、西矢中隊長への愛惜や幾人かの僚兵との絆を『俘虜記』をはじめとする作品群に記してはいる。しかし、それらとパヴリチェンコのファナティックな同志愛を同列にならべられないのは、「戦友」に描かれた僚兵たちのシニカルなポートレートや、原爆投下を米兵に聞いたときの「広島市民とても私と同じ身から出た錆で死ぬのである。兵士となって以来、私はすべて自分と同じ原因によって死ぬ人間に同情を失っている」という冷めた述懐にあきらかだ。パヴリチェンコがモスクワで叫んだ「敵を撃て、はずすな！」という復讐の呼びかけは、ミンドロ島のジャングルを逃げまどう大岡の耳には入らなかったのだ。

大岡は敵を憎んでいなかった。アメリカにたいする復讐心に燃えていなかった。自分の命を捨てても同志の命を救いたいと思っていなかった。だから眼前に若い米兵の無防備な顔があらわれたとき、銃の安全装置を外しながらも撃たなかった。結果として大岡は、神がモーセにあたえた「殺してはならない」という戒律にしたがったことになる。一見これは、撃ったパヴリチェンコの決断と好対照をなすように思える。しかしパヴリチェンコが「撃つな」という禁止と「撃て」

という誘惑のはざまで引金を絞ったのにたいし、そもそも「撃て」という誘惑を米兵の顔に見ていない大岡が引金をひかなかったのは、意志的な決断というより、むしろ意志の非在に由来する。パヴリチェンコと大岡は同じ戦場に立ってはいないのだ。パヴリチェンコが狙撃スコープ越しに見つめていた敵／味方をきっぱりと分かつラインが、大岡には見えていなかったのだから。そしてそのラインは、ＰＴＳＤに苛まれたパヴリチェンコがほとんど廃人と化す一方で、大岡は戦後日本文学の重鎮として高い評価を受けつづけたという、二人の戦後の生をきっぱりと分かつラインでもあった。

しかし問題はそのさきにある。視点を裏返してみよう。大岡は誰かに敵として憎まれていなかったのだろうか？　大岡に復讐心を燃やす者は誰もいなかったのだろうか？　もし眼前にマラリアにやつれはてた大岡の無防備な顔があらわれたとき、「撃つな」という禁止より「撃て」という誘惑を、「殺してはならない」という戒律より「人を打って死なせた者は必ず死刑に処せられる」という復讐（タリオ）の法を選びとる者はいなかったのか？　大岡の顔をスコープでとらえ、「敵を撃て、はずすな！」と引金を絞るスナイパーはいなかったのか？　そしてもし、戦争の暴力をその核心において駆動する「復讐の連鎖」に大岡が戦（おのの）いていなかったならば、――大岡は真に「戦争」を経験したといえるのだろうか？

戦後日本がもちえた戦争文学の金字塔とされる、フィリピン戦を描いた大岡の小説群には、「鎮魂」はあるが「復讐」はない。それら諸作品にあらわれる「敵」は、圧倒的な物量と先進的な兵器で日本軍将兵をスマートに殺戮する米軍と、傍兵を差別／虐待し、ときには殺害／食肉化しさえする病んだ日本軍のみである。『俘虜記』『野火』『レイテ戦記』からは、侵略者に家族や友人を殺され、家や田畑を焼かれ、家畜や食糧を奪われたフィリピンの人びとの復讐心は除外されている。日本の占領統治に抗うゲリラ戦に命がけで身を投じた人びとの復讐心は無視されている。侵略戦争が呼びさます、ときにレイシズムに接近するほど苛烈な復讐心が、そこではなかったことにされているのだ。

「戦争を知らない人間は、半分は子供である」。――精神病院に隔離された『野火』の語り手が、朝鮮戦争前夜につぶやくこのアフォリズムはよく知られている。一般にこれは、大岡ら戦争を知る世代が戦争を知らない世代にむけて発した、戦争の愚劣と悲惨を告げる警鐘だと受けとめられている。だが、ときに『野火』の瑕瑾として批判される〈語り手＝狂人〉というねじれた設定は、そうした解釈に疑念をさしはさみはしないだろうか。そもそも狂人とは、社会から「半分は子供」と見なされた者である。だとすればこのアフォリズムは、後続世代にたいしてマウントを取ろうとする大人の警告ではなく、「半子供」を自認する者の自嘲と読むべきではないか。「戦後世代」あるいは「戦後生まれ」だけでなく、狂気におちいった語り手自身も、ひいては作者の大岡自身すら、戦場に行きはしたけれど戦争を知らない。そういうパラドクサルな告白だと――。

満州事変からポツダム宣言受諾まで、十五年もの長きにわたりアジアと太平洋で激しい戦争を戦いながら、敗戦後に生き残った日本人は、結局「戦争」について、その暴力をどこまでも激化させる「復讐の連鎖」について知らないままなのだ。その意味ですべての日本人は「半子供」であり、敗戦後にアメリカの庇護のもとにリブートされた日本も戦争を知らない「半国家」にすぎない。――大岡の筆から躍りでた狂気は、不快な裏声でそう歌っているのではなかろうか？

3　復讐の抑圧――アメリカ／アジア／特別部隊（ゾンダーコマンド）

私たちの前には、二つの問いが置き残されている。

アジアと太平洋にまたがる長く激しい戦争で、圧倒的な力を誇示する敵に徹底的にたたき潰された日本から、いかにして復讐心が消え失せたのか？

「復讐の連鎖」が已（や）むことなく吹き荒れるこの「残酷な世界」（『進撃の巨人』）に生きる私たちは、「復讐戦のかなた」へ歩みでてゆく道筋を、いかにして構想すべきなのか？

最初の問いに答えることは、じつはさほど難しくない。多くの論者がすでに指摘しているように、東アジア全域の帝国主義的支配をめざした戦争に完敗した日本は、冷戦のイニシアティヴを握ろうとするかつての敵アメリカのパワーポリティクスに、復讐心を放棄した劣位の共犯者として協力する見かえりとして、自らの侵略戦争が火をつけたアジアの人びと（沖縄も含む）の復讐心から眼を背けることをゆるされたのだ。

戦後日本における「復讐の抑圧」には、大きくいって三つの契機が関係している。それらはたがいに深くからまりあい、切り分けることのできない負の三位一体をなしつつ、現在にいたるまで私たちの歴史観と現実感覚を偏狭なフレームに封じこめている。簡潔に確認しておこう。

①アメリカの影

東西から挟撃してきた連合軍によって国土をバラバラに引き裂かれ、降伏後は米英仏ソによる分割統治を経験し、それゆえ冷戦期には東西分断を甘受せざるをえなかったドイツと異なり、日本の占領は、マッカーサーを最高司令官とするアメリカの軍政機構がほぼ他国の干渉なしにあらゆる方針を決定した。したがって敗戦後の日本の国のかたちは、マッカーサーの個人的思惑やアメリカの国際戦略にほぼ丸投げされることになった。だが重要なのは、アメリカが振り付けた新たな国造りのドラマを、天皇や政治家や官僚、そして民衆もふくめた日本人の大多数が、自らすすんで演じきったということだ。

占領軍民政局（GS）が一週間あまりでスピード起草し、日本側がわずかな修正をくわえて制定した日本国憲法の柱は、第一条「象徴天皇制」と第九条「戦争放棄」のカップリングだが、これこそ米日合作ドラマのメインプロットだった。スムーズな占領統治のためには天皇カードが不可欠だと考えたマッカーサーは、他方で絶対平和主義を憲法に書きこむことで、日本のウルトラナショナリズム回帰を阻みつつ、自らの名をレジェンドとして歴史に刻むことを望んだ。サイパン陥落後の必敗の戦局にあっても国体護持の一念で絶望的抵抗をつづけた日本の指導層にとり、マッカーサーに授けられた第一条は「試合に負けて勝負に勝つ」を地でゆくものだったし、長期の戦争によって極端な窮乏生活を強いられてきた民衆にとって、〈旧軍的なもの〉を一掃する第九条は天の賜物に等しかった。

天皇らトップ層と民衆らボトム層の戦争責任を免じるため、両者のはざまに位置する〈旧軍的なもの〉にすべての悪を押しつけるというストーリーも、アメリカと日本の共犯によって描かれた。占領の正当性を担保するため、天皇制の存続と民衆の支持を必要としたアメリカは、戦時に昭和天皇がふるった政治的／軍事的イニシアティヴや民衆心理に広く盤踞したファシズム的メンタリティには眼をつぶり、天皇を操り民衆を扇動した巨悪として、東条英機ら旧軍上層部をスケープゴートにまつりあげた。クロの範囲をできるだけ狭めることで、自らをグレーゾーンから救いだしたいと願う日本人の心理にぴたりとはまったのが、A級戦犯とされた者のうち七人を絞首刑に処して幕を閉じた東京裁判だった。アメリカの恣意が貫徹した東京裁判で戦争の禊(みそぎ)は終わったと安堵した日本人は、ホロコーストの「原罪」を抱え、ナチスの汚れた過去からの断絶を新生国家の出発点とした西ドイツと異なり、自らの戦争責任について反省し、自らの手で戦争犯罪を裁くという長く苦しいプロセスを嬉々としてスキップした。

立法（憲法）と司法（東京裁判）にならび、行政においても日本がアメリカへの従属をすすんで受け入れた証しが、サンフランシスコ講和条約と日米安全保障条約のカップリングである。鉄のカーテン、ソ連の核開発、共産中国の出現、朝鮮戦争勃発という一連の動乱によって米ソ対立が急激にエスカレートするなか、アメリカは、オホーツク海から朝鮮半島沖を経て台湾へと弧状に島をつらねる日本の地政学的重要性にあらためて注目し、日本を東アジアにおける反共の防波堤となすため、一方では寛大で有和的な講和を結びながら——対日賠償請求権を放棄するだけでなく、東京裁判の結果を認めさえすればそれ以上の戦争責任を問わない——、他方では日本の国土を「不沈空母」として制約なしに軍事利用できる不平等条約——一九六〇年に安保条約が改定されるまで米軍には日本の防衛義務すらなかった——を求めた。ソフトとハードを組みあわせたこのカップリングも、日本にとっては望むところだった。共産国家による侵攻と国内の共産革命を怖れた昭和天皇は、アメリカがコミュニズムから日本を守ってくれるなら沖縄を半永久的に米軍基地として譲ってもよいと考えていた。また、戦後補償をまぬかれた幸運にくわえ、敗戦後の困窮の打開策として軽軍備／経済成長路線を採用することは、政治家や官僚や資本家にかぎらず、多くの国民にとってこの上ない福音に映った。数年前まで同じ「皇民」の住む「皇土」だった朝鮮半島で荒れ狂う戦争の特需を「天佑」（吉田茂）と言祝ぎ、対米戦争の着火点となった東南アジアの市場をアメリカに分けあたえてもらうことで奇蹟の高度成長をとげた日本は、一夜の夢にすぎなかったとはいえ、一九八〇年代にはアメリカのヘゲモニーを脅かす世界第二位の経済大国としてナショナルアイデンティティを再構築する僥倖にめぐまれた。

安倍晋三元首相がとなえた「戦後レジームからの脱却」とは、右でサーヴェイした自発的な対米従属へのさらなる没入であり、「永続敗戦レジーム」の深化にほかならないと喝破した白井聡は、アメリカ人にたいする日本人の復讐心の乏しさに異和感を吐露している（『永続敗戦論　戦後日本の核心』太田出版）。ベトナムやアフガニスタンやイラクなど、アメリカの戦争が世界各地にコントロール不能な「復讐の連鎖」を撒き散らしてきたことを考えると、二百万人を超える将兵を殺されたばかりか、無差別爆撃や原爆で数十万人もの市民を虐殺された日本がアメリカに復讐心を抱かないのは不可解に思える。だが戦後の日本人は、自らの戦争責任をチャラにしてもらい、安んじて経済的な豊かさを追求するために、数百万の同胞を殺した敵への復讐心を棄てたのだ。断じて倫理やモラルの問題ではない。復讐心はカネを生まない。ならばすすんで棄てるに如くはない。要はそうした薄っぺらな経済合理性ゆえの選択にすぎない。

世紀の転換期にアメリカとの経済戦争にふたたび完敗した日本が、そのポテンシャルを急速に消尽し、みるみる貧しさへむかって転げ落ちてゆくなかで、かつて自らが選びとった「復讐心よりカネが大事」という浮薄な合理性に手酷く「復讐」されることになったのは、けっして偶然ではない。

②アジア侵略の不可視化

ジョン・ダワーは、「大東亜戦争」を「太平洋戦争」にいいかえるアメリカの方針を「語義的（セマンティック）・

帝国主義（インペリアリズム）」と批判しつつ、この呼称変更は、大日本帝国の侵略に立ちむかった中国をはじめとするアジア諸国の人びとの戦いを不可視化し、日本人にアジアにたいする戦争責任を忘れさせることに寄与した、と指摘している（『増補版　敗北を抱きしめて　第二次大戦後の日本人』岩波書店）。戦後に米日が合作したドラマは、苛烈な戦いの果てに新たに主従の契りを結んだ米日をクローズアップする一方で、三年半で終わった「太平洋戦争」よりはるかに長期間にわたって日本と戦ったアジアの人びとには端役すらあたえず、ゴミのごとく舞台から払いのけた。

石油輸入の九割を依存するだけでなく、工業生産などの国力も段違いの超大国アメリカとの無謀な戦争は、アジア大陸内奥の巨大な戦略縦深に搦めとられて泥沼化した対中戦を終わらせるために仕方なしに選びとられた、イチかバチかの大バクチだった。そもそも近代日本の国家戦略のコアは、大陸進出によるセキュリティの確保と帝国主義的繁栄にあり、なるほど対米戦のシナリオは一九二〇年代から練られていたにせよ、あくまでそれは大陸権益を脅かされる不安に根ざしたリアクションにすぎなかった。対日全面禁輸というアメリカの厳しい制裁をまねいてポイントオブノーリターンとなった一九四一年七月の南部仏印進駐も、中国の抗戦力を支える米英などの援蔣ルートを遮断しつつ、東南アジアをふくめた広域を「大東亜共栄圏」としてブロック化してアウタルキーの基盤となすという大陸経営の一環だった。対米開戦後も陸軍は満州や中国やインドシナに百万規模の大軍を展開しつづけ、ガダルカナル以降は海軍の要請でしぶしぶ対米戦に戦力を逐次投入するようになったものの、一貫して陸軍の主戦場は、米英などの支援をうけた中国軍との戦闘と、そしてアジア各地に燎原の火のごとく燃えひろがったゲリラ戦にあった。

つまるところ、対米戦はアジアへの侵略戦争がもたらした劇的な副反応にほかならず、そして日本がアメリカに完敗した大きな要因もアジア全域での激しい抵抗にあった。日本を主体とする「大東亜戦争」からアメリカを主体とする「太平洋戦争」へ一足飛びに読みかえるなかで消去されたのは、侵略者と戦ったアジアの人びとの「対日抵抗戦争」にほかならない。

アジアの消去は戦後処理にも反映された。ドイツの戦後処理においては米英ソだけでなく実質的には「敗戦国」だったフランスも大きな発言権を得たが、日本のそれはアジア諸国のプレゼンスを徹底して薄めつつ、アメリカ一国主導で進められた。たとえば東京裁判の判事団十一名のうち、アメリカやイギリスとはケタ違いの犠牲者をだしたアジア諸国の裁判官はたった三名（中国・インド・フィリピン）にすぎない。吉田裕が指摘するように「マレー、シンガポール、インドネシア、ビルマ、インドシナなど日本の占領によって多大な被害を蒙った国々や日本の植民地であった朝鮮、台湾を代表する裁判官は一人も参加していないだけでなく、これらの国々とは対立した利害関係にある植民地宗主国が多くの裁判官を送り出している」という人種差別的な偏りが存在した（『日本人の戦争観　戦後史のなかの変容』岩波現代文庫）。サンフランシスコ講和条約も、日本のアジアにたいする戦争責任だけでなく、アジア諸国の懸案だった日本の軍事力の制約にも一切ふれていない。一千万人以上の犠牲を払ったにもかかわらず、北京の中華人民共和国政府も台湾の中華民国政府も、講和会議に招請すらされなかった。

こうしたアジア軽視／無視には、いくつか要因があげられる。対中戦争が宣戦布告の手続きをとっておらず表向きは「支那事変」とされていたこと。大陸での戦闘の中心が、正規軍同士の決戦ではなく、鈍重な消耗戦と非正規的なゲリラ戦だったこと。欧米列強に長く植民地化されていたアジア地域の国際的地位が低かったこと。戦後に独立した国の多くが開発独裁体制をとり、日本の戦争責任を追及するより目先の経済援助を選好したこと。冷戦のフレームのなかで中国や北朝鮮が和解しがたい敵と見なされたこと。侵略した国々と地続きのドイツにたいし、島国である日本は旧植民地や侵略した国々から海で切り離されていたこと。――しかしやはり最大の要因は、アジアにたいする欧米のオリエンタリズムと、敗戦後も変わることなくつづいた日本人のアジア蔑視である（吉見義明『草の根のファシズム　日本民衆の戦争体験』岩波現代文庫）。戦争に勝ったアメリカと戦争に負けた日本が、ともにアジアの人びとを「半人間」として国際政治の場外へ投棄するという帝国主義的／人種差別的フレームを、戦後も変わらずに適用しつづけたことが、日本の侵略戦争の主戦場だったアジアを無人の地と見なす虚構を支えたのだ。

だが、他国の軍勢に攻め入られ、家族を殺され、レイプされ、財産を略奪された人びとが抱く復讐心を、手前勝手な虚構が抑えこめるはずはない。一九八〇年代に非難のマトとなった教科書裁判や首相の靖国神社参拝、九〇年代に大きくクローズアップされた従軍慰安婦、二十一世紀に懸案化した戦時徴用工など、戦後処理／戦後補償に関わる問題の尽きせぬ噴出は、日本がアジアの地に撒き散らした「復讐の連鎖」の報いにほかならない。

おのれがパンドラの箱をあけた「復讐の連鎖」にたいし、日本政府は三つのしかたで対応した。Ⓐ一九六五年の日韓基本条約に基づいて提供された五億ドルの援助金などを言挙げし、戦後処理／戦後補償はすでに完了したと突っぱねる。Ⓑカネめあての訴えだと矮小化し、ハシタ金を投げることで沈静化をはかる。Ⓒいつまでたっても日本への復讐心を棄てようとしない相手を知性と道義心に欠けた輩だと罵倒し、日本国民の反発心を煽ろうとする。――どれをとっても相手をなだめるどころか、火に油をそそぐものだ。Ⓐ~Ⓒのごたまぜでアジアの人びとの復讐心に対峙しようとした第二次安倍政権以降のアジア外交は、やはり復讐心を「ナメて」いるとしかいいようがない。

かつて日本は、カネのために自らの復讐心を棄てた。だが、復讐心の放棄で購ったはずの経済力はいまやボロボロに摩り切れ、リーマンショック後に逆転された中国のGDPは日本の三倍に膨れあがり、一人あたりGDPではシンガポールや香港にはるか先を行かれ、韓国や台湾にも抜かれかけている。かつて中韓にカネがなかったころ、アメリカをバックにカネ持ちになった日本は、彼らの窮状の一因は自らにあるという事実にフタをしたまま、両国に親近感（というか哀れみ）を抱いていたが、カネの優位が失われるやいなや、潜在していたアジア蔑視を盛大に噴出させ、人種差別的なヘイトスピーチを公共圏においても垂れ流している。

自らの侵略戦争が相手に植えつけた復讐心を愚かな言いがかりと非難しつつ、他方で、アジア諸国との経済戦争の敗北に起因するいじましい復讐心を、枯渇したカネのかわりにナショナルアイデンティティの中核にすえようとあがく。——日本はカネのために棄てた復讐心に、カネがなくなったいままさに「復讐」されている。

③自発的な特別部隊（ゾンダーコマンド）

特別部隊（ゾンダーコマンド）。——ナチスドイツのこの「悪魔の発明」（プリモ・レーヴィ）は、アウシュヴィッツなどの絶滅収容所で、ドイツ人によるユダヤ人大量虐殺のプロセスを、同じユダヤ人でありながら幇助（ほうじょ）させられた者たちを指す。第二章で分析した映画『復讐者たち』で、妻子をナチスに殺されたマックスは、絶滅収容所で特別部隊（ゾンダーコマンド）だったおのれをこうふりかえる。

> 収容所に着いた人は、まずぼくを見る。家族連れや、子どもたち。貨車から降ろし、ぼくは笑いかけた。カバンをあつめ、名前を記録し、彼らにいう。「荷物はシャワーのあとで返します」。彼らは静かに歩いた。彼らが中に入ると、カバンに入った食料をさがし、手に入れた。（中略）
>
> ぼくは収容所を、豊かで平安なところに見せかけようとして、彼らにウソをつき、絶望しかない状況で希望をあたえようとした。それ以来、自らに問いかけない日はない。一瞬たりとも自問しないときはない。
>
> なぜ自分はなにもしなかったのか？　逃げろと彼らにいわなかったのか？

同胞をみな殺しにする敵の計略に加担する。ただ殺されるためだけに貨車に詰めこまれて運ばれてきた人びとの隠し持つわずかな食料をかすめとり、シャワー室でのガス殺がスムーズに完了するよう、絶望を希望にすりかえるウソをつく。――だが、他者をケアする〈最良の者たち〉がまっさきに死んでゆく地獄では、敵になんらかの協力をしたり、同胞をだましたり裏切ったりすることなしには、誰ひとり生き残れなかったのだ。収容所からの生還者がサヴァイヴァーズギルトに苦しめられる理由はそこにある。特別部隊（ゾンダーコマンド）は、ナチスがしかけたパラドクサルな罠の究極形だといってよい。

　しかし、レーヴィの「悪魔の発明」という非難は、サヴァイヴァーズギルトの押しつけのみをいうのではない。自らの同胞をひとり残らず絶滅しようとする――特別部隊（ゾンダーコマンド）も最終的にはみな殺しにされる予定だった――敵の作戦を助けた者は、自分の敵がドイツ人なのかユダヤ人なのか、味方はユダヤ人なのかドイツ人なのかわからなくなる。敵／味方の分割ラインが根底から攪乱され、もみ消されてしまうのだ。パヴリチェンコの復讐心を支えていたのは、祖国を侵略した敵にたいする百パーセントの憎悪と、ともに戦う味方にたいする百パーセントの信頼だった。敵／味方の分割ラインを消されることは、復讐心の根太（ねだ）をへし折られるに等しい。特別部隊（ゾンダーコマンド）という「悪魔の発明」は、残虐な迫害の被害者から、加害者にたいする復讐心を奪いとってしまうのだ。[*3]

　元ＳＳ将校アドルフ・アイヒマンを拉致したイスラエルがエルサレムで行った復讐裁判のレポ

ートで、アイヒマンに協力した「ユダヤ人評議会（ユーデンラート）」の問題を指摘したアーレントが、映画『ハンナ・アーレント』（二〇一二年）で描かれたようにユダヤ人社会から袋だたきにされたのは、「ユダヤ人評議会（ユーデンラート）」の存在が敵／味方のボーダーもろともユダヤ人の復讐心を奪いとる危険を秘めていたからだ。また、二〇一四年のクリミア強奪以来ロシアへの復讐心が燃えさかるウクライナで、ナチスに協力するウクライナ人を撮影したフッテージを含む『バビ・ヤール：コンテクスト』（二〇二一年）の監督セルゲイ・ロズニツァが同胞たちから厳しく排撃されたのも、「ネオナチ＝ウクライナ」というデタラメな言いがかりでウクライナを圧伏しようとするプーチンへの復讐心が、機能不全に陥ってしまうことへの警戒心に由来する（重田園江『真理の語り手　アーレントとウクライナ戦争』白水社）。

もちろんけっして忘れてならないのは、敵への協力を拒めば即座に殺されるという状況にあって、生き残るには特別部隊（ゾンダーコマンド）になるほかないという強制力が働いていたことだ。特別部隊（ゾンダーコマンド）となって生きのびた人びとを卑劣だと非難することは、収容所で死ねばよかったと彼らを断罪することであり、そんな暴言を吐きうる道徳的基盤など収容所の外部にはけっして存在しない。だがもし、そうした強制力がないか、あるいは微弱なところで、おのれの利益のために敵に取り入って敵／味方の分割ラインを自らもみ消し、復讐心という重荷をすすんで棄てさろうとしたらどうだろう？　それをしなければ殺されるという苛酷な条件がないところで、必敗の戦場にかりだされた同胞にバンザイを叫んで笑いかけ、絶望しかない戦況に希望をもたらすことができるのは君たちだけだとウソをついた者が、敗戦後はころりと敵側に寝返って自らは豊かで平安な生活を享受しつつ、ウソを信じて死んでいった人びとに、なにもしてやれなかったことを、逃げろとひと言いわなかったことを、一瞬たりとも後悔しなかったとしたら？　——サヴァイヴァーズギルトのない、自発的な特別部隊（ゾンダーコマンド）。敗戦後の日本人がわれさきに参入したのは、これではなかったか？

天皇らトップ層と民衆らボトム層が、敵国だったアメリカに加担しつつ、戦争責任の追及からまぬかれるためにすすんで切り棄てた同胞は、東京裁判で処刑された東条ら戦犯だけではない。アジアと太平洋にまたがる巨大な戦争で、大日本帝国のかかげた「大義」に殉じて死んだ三百万を超える死者たちもまた、生きのびた者たちが心ゆくまで繁栄を謳歌するために戦後日本から切り棄てられたのだ。米軍との非対称的な戦闘で、中国やフィリピンのゲリラ戦で、ジャングルで罹患したマラリアで、補給の途絶した孤島上の飢餓で、B29が投下したナパーム弾や原子爆弾で、赤軍の怒濤に呑まれた満州で、多種多様な場所で多種多様な死をとげた日本人（当時「皇民」とされていた朝鮮人や台湾人も含む）は、戦争にたいする考えや態度も多種多様だったろうが、それでも自分を殺した「敵」への復讐を「味方」に託す切実な思いは多くの者に共有されていたにちがいない。二十世紀が経験した総力戦とは、人間の生死の全領域を貫通する絶対的ボーダーとして敵／味方の分断を強調し、けっして和解しえぬ敵にたいする徹底的な復讐戦を呼びかけるものだからだ。戦死した同胞がこの世に置き遺した敵にたいする復讐心を、偏狭で非寛容だと事後的に非難することは、彼らの死は愚か者の犬死にだと切って棄てることであり、そんな暴言を吐きうる道徳的基盤は総力戦の外部にはけっして存在しない。だが敗戦後の日本は、死者たちに託された復讐戦を、自らの復讐心ともども投げ棄てたのだ。なんのために？　カネと保身のために。

②で見たアジアの人びととはむろん位相を異にするとはいえ、戦死した同胞たちも、戦後を生きる日本人の戦争責任を厳しく追及しうる主体である。しかし、敵国だったアメリカに抱きついて敵／味方の分割ラインを後ろ手でもみ消し、戦死者が後世に託した復讐戦の隠滅をはかるアメリカを積極的に幇助した戦後日本は、バンザイと叫んで死地に送りだした同胞を、絶望を希望に変えるという不可能なミッションを担わせた味方を、観念上でふたたび殺したのだ。そうしなければ殺されるからではない。ナチスドイツとちがって、アメリカに日本人を絶滅する意志など毛頭なかった。戦後日本が自発的な特別部隊（ゾンダーコマンド）となったのは、復讐心を高値で売りぬけて豊かで平安な暮らしをゲットするため、そして勝ち目のない間違った戦争をひきおこした責任を地獄の底から問い質してくる死者たちのまなざしから逃れるためだったのだ。

*

同胞にリレーしたはずの復讐心を一方的に廃棄され、自分たちが殉じた「大義」を後出しジャンケンのごとくひっくりかえされた結果、どこにも行きつくあてのなくなった戦争の死者／犠牲者たちは、戦後いかなる扱いをうけたか。象徴的な例として、特攻兵、原爆の被爆者、沖縄の人びとの三者を見ておこう。

橋本明子は、『日本の長い戦後　敗戦の記憶・トラウマはどう語り継がれているか』（みすず書房）で、敗戦という巨大なトラウマを背負った日本人は、自国の歴史を三つの異なるストーリーで語ってきたと指摘する。「美しい国」日本のために散華した英霊を讃える「英雄の語り」。侵略と植民地支配の非道を犯した「やましい国」の罪責を背負う「加害者の語り」。戦争のもたらした惨禍を強調し、「悲劇の国」として国民に連帯を呼びかける「被害者の語り」。――もちろん橋本が強調しているように、「英雄の語り」「加害者の語り」「被害者の語り」はたがいに排他的ではなくグラデーションをなして連続している。米英中ソを中心とする連合軍と世界戦争を戦って敗れた日本を、「美しい国」と見るか「やましい国」と見るか「悲劇の国」と見るかも、国民それぞれの心に屈曲した層を重ねて複雑な景色を描いている。同じ家族のなかに靖国に祀られた者と空襲の犠牲者がいてもなんの不思議もない。大陸で庶民を銃剣で突き殺した者がいる可能性だってある。いや、同一人物が三つの語りすべてによって語られてもおかしくないのだ。美しさとやましさと悲しさが乱反射するカオスを、いつ決着がつくともわからぬままに漂流するのは、たしかに気分のいいものではない。

この息苦しいカオスの内部に、安心して呼吸ができる「共栄圏」を創出する。――戦後日本で一貫して「戦争もの」の最強コンテンツだった特攻兵のイメージは、そのために利用された。祖国を守るという名目でなかば強制的に志願させられ、爆弾を積んだ飛行機で米艦に体当たりした特攻兵を、橋本は三つの語りのちょうど交点にあるととらえ、それが日本人の心を惹きつけたと推測している。とはいえ、太平洋戦域でのみ採用され、圧倒的に優勢な米艦隊にろくすっぽ護衛もなく突っこんでゆくカミカゼ特攻は、「加害者の語り」を背後に振り棄てることをゆるすイメージだった。現代までつづく特攻ブーム、とりわけそのピークにそびえる『永遠の0』のメガヒットはその観点からしか説明できない。じっさい橋本も『永遠の0』についてこう指摘している。「家族のために生きたかったのに、死んでしまった人――。しかしこのロマンに説得力をもたせるためには、一九四一年に始まった対米戦争を物語の出発点にしなければならない。そうしなければ、このかっこいい祖父がそれ以前に中国で何をしていたのか、たとえば重慶爆撃のような忌まわしい無差別爆撃をしていたのかを話さねばならなくなる。だから、この物語で日中戦争が都合よく省かれているのも不思議ではない」――。

「加害者の語り」だけでなく「英雄の語り」も脱ぎ棄て、すべてを「被害者の語り」に一本化するために使われたのが、原爆だ。史上はじめて核爆弾に襲われた街として世界中にその名が知られるようになった「ヒロシマ」は、日本人全体の被害者性を強調しつつ、「反核反戦」を世界に訴える平和国家というナショナルアイデンティティの中核イメージとして機能した。だが現実の広島は、日本の大陸進出の嚆矢となり、最初の植民地・台湾を獲得した日清戦争で明治天皇の大本営が、原爆投下時には西日本全域の本土決戦を指揮する第二総軍司令部が置かれていた極めつきの軍都だった。また三十キロと離れていない軍港呉（くれ）で建造され、呉から沖縄特攻に出撃して撃沈された戦艦大和は、日本のシンボルであり広島の誇りでもあった。だがそうした加害者性や英雄性の絡みついたグレーゾーンを、白一色に塗りかえて「犠牲者意識ナショナリズム」を立ちあげていった日本の戦略として、林志弦（イムジヒョン）は、グローバルな記憶空間におけるホロコーストと原爆の併置をあげ、アウシュヴィッツで他人の身代わりに餓死室に消えたマクシミリアノ・コルベと、長崎への原爆投下を世界浄化のための燔祭（ホロコースト）ととらえた永井隆の邂逅にその象徴を見ている（『犠牲者意識ナショナリズム　国境を超える「記憶」の戦争』東洋経済新報社）。『国民とは何か』でエルネスト・ルナンがいうように、ネーションの団結には喜びや勝利よりも苦痛と哀悼のほうが役に立つのだ。

「被害者の語り」をナショナリズムの核心にすえるため、特攻兵や原爆のイメージを利用する。戦後日本のこうした戦略は、オレにつづいて鬼畜アメリカに復讐してくれという特攻の死者のメッセージを、のほほんとした平和の祈念に吹き替えたばかりではない。第二章で論じたように、反核国家日本の中核に位置するはずの被爆者や被爆二世に、予告なしに原爆を落としたアメリカと国体護持のために戦争を長びかせた日本政府にたいする復讐心を抱くことを禁じるばかりか、狡猾な詭弁を弄して原爆症認定などを出し渋り、彼らをセキュリティネットの外部へ半永久的に投棄しつづける非道な政策の仮借なき推進力となっている。

アメリカが絞首台に送った「戦犯＝加害者」たちから英雄性と被害者性を剝奪した戦後日本

は、現実の複雑さと多様さから眼を背け、特攻兵を英雄的被害者として、被爆者を純粋な被害者として都合よく表象した。だが戦争の犠牲者から、被害者のそれを含むすべての「語り」が奪われてしまったら？　祖国防衛のために戦われた殲滅戦をからくも生きのびた者たちが、日本という国の外部に突如追放されることで、「美しい国」「やましい国」「悲劇の国」のいずれにも帰属しえず、親しい死者を悼む嘆きすら封じられたサバルタンにおとしめられたとしたら？　――いうまでもなく、それが沖縄の歴史的状況である。

「鉄の暴風」と呼ばれた米軍の無慈悲な弾雨と、日本軍による理不尽な徴用や自決の強要によって、「死んでも惜しくない者たち」として両陣営から人種差別的な迫害をうけた沖縄の人びとは、敵／味方の分割ラインを黒塗りされたまま戦争の挽き臼に引きずりこまれ、十万近い民間人を含む膨大な犠牲を強いられた。戦争を生きのびた者も、「アメリカにゆずっても惜しくない者たち」として、日本のセキュリティとバーターにアメリカの軍政下に長くとどめ置かれ、米軍や日本人にたいする復讐を口にすることを固く禁じられたまま、「本土復帰」から半世紀以上たった今日でも、日本全体の約〇・六パーセントの面積しかない県内に、全国比で七十パーセントを超える巨大な米軍基地群を押しつけられている。政府がさかんに危機感を煽る「台湾有事」で、沖縄はまたも戦火にまっさきに呑まれる運命を強いられているのだ。だが、沖縄の人びとが知事選などでくりかえし明確な民意を示しても、押しつけ憲法は「みっともない」とこきおろすくせに、基地の押しつけに反対する沖縄の民意を頭ごなしに無視することを「みっともない」とはさらさら思っていない安倍晋三／菅義偉元首相らによって、その訴えは容赦なく切り棄てられてきた。
戦後日本の安全と繁栄は――もはや一夜の淫夢にすぎなかったことが暴露されたが――特攻兵、原爆の被爆者、沖縄の人びとといった同胞たちをサバルタン化し、彼らの復讐の叫びを、自らのカネもうけと保身に資するセリフに吹き替えることで購われたものなのだ。

4　復讐戦のかなたへ

問いはもうひとつ残っていた。戦争やテロや軍事独裁の暴力によって、民族／宗教／ジェンダー／階級などが複雑に絡みあったグローバルな差別構造によって、「復讐の連鎖」が已むことなく吹き荒れるこの残酷な世界で、私たちは「復讐戦のかなた」へ歩みでてゆく道筋を、いかにして構想すべきなのか？――

まずは、前節で見た「復讐の抑圧」をめぐる戦後日本の「国体」――アメリカへの盲従、アジア蔑視、自国の犠牲者の恣意的な利用や無視――を解体することが前提となる。何十年ものあいだ私たちの現実認識と構想力を縛りつけてきた以上、短期間でそれらを解毒するのはむずかしい。だが、多様な相手の立場を細やかに配慮しつつ、国内外で長い時間をかけて真摯な議論を継続し、勇気ある行動を相互に積み重ねてゆくなかで、解決への正しい道を歩むことは可能だと信じる。

いや、どうしてもその道を歩まなくてはならない。「復讐の抑圧」が解けなければ、戦争の暴力を果てしなくエスカレートさせる「復讐の連鎖」にたいする畏怖は見失われたままになってしまう。しかし、その畏怖に塗りこめられた暗闇のなかにしか、「復讐戦のかなた」を照らす光は点らないからだ。

ナチスドイツが敗滅した直後の一九四六年に、ハイデルベルク大学での講義をもとに『責罪論 *Die Schuldfrage*』（邦訳『われわれの戦争責任について』ちくま学芸文庫）としてまとめられたカール・ヤスパースの思考は、敗戦国の戦争責任という難題に暗闇のさなかで立ちむかったものとして、敗戦のトラウマをカネで糊塗しようとして破綻した私たちの現状に、いまなお大きな示唆をあたえてくれる。

ヤスパースはまず、ドイツが戦争に敗れた以上、戦勝国の法と統治にしたがうほかないと考える。だがそれは勝者に内面を売りわたして盲従することではけっしてない。戦争責任は、勝者から詰問されるより先に、敗者が能動的に自らにさしむけるべき問題だとするヤスパースは、「勝利者の側からする有罪宣告は確かにわれわれの現実生活にとってきわめて重大な結果を及ぼし、政治的な性格を帯びはするけれども、内面的な転換という決定的な点では、われわれの助けにならない。この点では自分を相手とするほかに道がない」と書く。負うべき戦争責任を、アメリカなどの戦勝国に丸投げするのではなくとことん自力で考えぬくことが、侵略戦争や大量虐殺で汚れた過去と決別し、新たな自己を生みだすための不可欠の前提となるというのだ。

ヤスパースがここで依拠しているのは、『精神現象学』でヘーゲルが展開した「主人と奴隷」の弁証法である。命を賭けた闘争に敗れつつも、敗北後に死よりも生を選んだ者は、勝者のもとで奴隷となるほかはない。だが奴隷は、敗者ゆえの苦悩と労役をつうじて、勝者にはない精神の深みに到達し、生の根本的な価値転換へと踏みだしてゆく。その意味で未来は主人ではなく奴隷にこそある。ただし、奴隷がおのれの苦難の道を誠実に歩むという条件のもとでのみ、そうした乗り越えが可能なのだ。――アメリカという主人にひたすらへつらうばかりの奴隷が怠ったものを、ヘーゲル＝ヤスパースは深い哲学的思考をもとに明確に言語化している。

ヤスパースはまた「償い」の必要性を強調する。「償い」とは、「ドイツ人みずからは困苦欠乏に堪えながら、ヒットラー・ドイツの攻撃した諸民族に対して、法的に定められた形式に従って破壊の一部を建て直す努力の提供を心から承諾して実行することを意味している」。――「みずからは困苦欠乏に堪えながら」という点が重要だ。戦後日本は「困苦欠乏」に堪えて「償い」をする道ではなく、「困苦欠乏」から脱出するためアジア諸国への「償い」を機会主義的にすりぬける道を選んだことを忘れてはならない。

ではヤスパースは、ヒトラーとナチスがかかげた「大義」に殉じたドイツの死者たちにたいし、どのような態度をとるべきだと考えていたのだろうか。敗戦後に生きる者が担うべき戦争責任について考究する『責罪論』は、戦死した同胞を主題化してはいない。だが有名な〈四つの罪〉を検討すれば、彼の考えをうかがい知ることができる。

ヤスパースは「罪」――ドイツ語のSchuldには罪／責任／負債といった意味がある――の概念類型として、〈刑法上の罪〉〈政治上の罪〉〈道徳上の罪〉〈形而上の罪〉をあげた。〈刑法上の罪〉では、個々人の罪を法廷という外部機関が裁く。〈政治上の罪〉では、敗戦国の集団的責任を勝者たる外国が追及する。〈道徳上の罪〉では、おのれの行為を内面の良心が咎める。これら三者の区別におけるポイントは三つある。まず、〈刑法上の罪〉はあくまで個人が対象であり、ドイツ人の集団的罪を法廷で裁くことはできない。次に、ナチスという巨悪に一九三三年から敗戦まで政権をゆだねていた点でドイツ人すべてに〈政治上の罪〉はあり、ヒトラーの侵略行為にたいする「償い」を全国民が――ドイツ国家という歴史的連続体に帰属するという意味で、補償の主体には戦後生まれの世代も含まれる――担わねばならない。このロジックは戦死したドイツ人にも適用されるだろう。したがってドイツ人は、〈政治上の罪〉を犯した自国の死者たちを追悼するより先に、まずは他国への「償い」を優先させなければならない。第三に、〈道徳上の罪〉と〈政治上の罪〉は、裁かれる対象において〈個人⇕集団〉という差異を、裁く主体の位置において〈内部⇕外部〉という差異を抱えつつも、深いところで通底している。両者は理念型としては明確に区別されるが、実践において分断されていれば、甚大な被害に苦しむ人びとに「最後はカネ目（あて）でしょ」（石原伸晃）と言い放つような唾棄すべき態度を生んでしまう。

これら三つの罪を区別する〈個人⇕集団〉〈外部⇕内部〉の二軸をかけあわせた四象限のマトリックスを想定すると、〈形而上の罪〉は、第四象限の「ドイツ人の集団的責任を内面において問うもの」となりそうに思える。だが〈形而上の罪〉はそうしたフレームにはおさまらない。[*4] 他の三つの罪は具体的な行為なしには存在しえないが、〈形而上の罪 metaphysische Schuld〉は、個人の行為や国家の選択といったものの具体的なあらわれ（physisch）を超えた（meta）ところに先在する「罪／責任／負債 Schuld」なのだから。

具体的な行為を超えた〈罪〉とはなにか。——同じ人間でありながら、ある者は非業の死をとげ、ある者は生きのびる。両者の運命を隔てる理由などなんら存在せず、あるのはただ理不尽な偶然のみだ。そうわかっていながら、生きのびた者が犠牲者にたいし、自分がなにもしなかったことを恥じいり、後ろめたさを感じる。これが〈形而上の罪〉だ。

ヤスパースは裁き手として「神」を名指しするが、〈形而上の罪〉はキリスト教のコンテクストを超える普遍性をもっている。ウクライナ戦争を例にとろう。プーチンのロシアがウクライナで犯している犯罪行為に関し、私には〈刑法上の罪〉も〈政治上の罪〉も〈道徳上の罪〉もない。しかし、彼の地で日々傷つき、苦しみ、亡くなってゆく人びとにたいし、自分が戦火をまぬかれた場所で安穏と暮らしていること自体を、私は後ろめたく感じる。いくら経済援助や物資供与をしても消えないこの後ろめたさは、いわば私という存在が他者とともにこの世界に共存するという事態そのものに由来する、存在論的な恥ずかしさというべきものだ。ミサイルで破壊されたビルや砲弾にえぐられた地面の映像を見るときにもこうした後ろめたさがつきまとうことを考えれば、ここでの他者には、人間だけでなく動物や植物などの生きものたち、さらには建物や山や川といった非生物まで含まれるはずだ。〈形而上の罪〉はその意味でドイツ人や日本人といったナショナルなカテゴリーを超越する。またアガンベンがいうように、内奥にひそむ自らの本質が他者の眼にさらされたときに羞恥の感覚がめばえるならば、〈形而上の罪〉の湧出点は当人の外部でも内部でもないところに、逆にいえば外部でも内部でもあるところになるだろう。それは、思考の最も普遍的なカテゴリーに見える〈個人⇕集団〉〈外部⇕内部〉というダイコトミーのはざまから滲みだす、なにものにも還元できない存在論的感覚であり、存在者にまつわるあらゆるダイコトミーがそこから生じてくる不可視の胎盤なのだ。

従軍慰安婦の強制連行や南京の虐殺、原爆投下やホロコースト、九・一一や三・一一にたいしても、私はこの〈形而上の罪〉を、存在論的な恥ずかしさを感じる。もちろんおのおのの出来事において〈刑法上の罪〉〈政治上の罪〉〈道徳上の罪〉の三者はまったく異なる様相で絡まりあっており、同一視や相対化はけっしてゆるされない。だが〈形而上の罪〉はむしろ、原爆とアウシュヴィッツがまったく異なる犯罪であることをとらえるために欠かせないものだ。ジュディス・バトラーは、近代の生政治がレイシズムによって生を恣意的に切り分けると指摘したフーコーを踏まえつつ、「失ってもよい人びと」「哀悼される価値のない人びと」におとしめられた存在に理不尽な暴力をふるう戦争のフレームを批判したが、そうした分割がどのような恣意性をおびているか、そうした暴力がいかなる理不尽さをはらんでいるかを具体的に追及してゆくさいの原点となるものこそ、〈形而上の罪〉という存在論的感覚なのだ。[*5]

自発的な特別部隊(ゾンダーコマンド)から自発的に脱退しよう。そして、敗戦後に誤りとされた「大義」に殉じた死者たちについて、あらためて考えなおしてみよう。命と同時に良心も消滅した以上、彼らに〈道徳上の罪〉を問うことは不可能だ。だがもし彼らが戦地で虐殺やレイプを犯していたなら、死後もその〈刑法上の罪〉をまぬかれることはできない。また、積極的だったか消極的だったかにかかわらず、大日本帝国の体制を支えていた彼らにも〈政治上の罪〉はある。だから日本人は自国の死者にたいする追悼より先に、侵略戦争の被害者に「償い」をなさねばならない。

では〈形而上の罪〉はどうだろうか? 彼らの心身が永久に消滅した以上、〈道徳上の罪〉と同じく〈形而上の罪〉について考えることも無意味だろうか?

無意味ではない。だが、〈形而上の罪〉が問われるのは、〈刑法上の罪〉〈政治上の罪〉とは異なる人称、異なるモードにおいてだ。他の罪はいずれも死者の「私」に定位し、その「私」が現実になした行為に基づいて裁きを下す。だが〈形而上の罪〉は、理不尽な死をとげた者に「あなた」と呼びかける「私」を要請する。そして、「あなた」と「私」が自律した主体として行為する現実的レベルではなく、それを超越した存在論的なレベルで、「あなた」が非業の死をとげ「私」がいまここに生きていることのまったき「偶有性 contingency」を——私はこの概念を大澤真幸が『〈自由〉の条件』(講談社)などで精緻に練りあげた意味で用いている——、「あなた」

が生き「私」が死んでもなんの不思議もなかったのにそうはならなかったことへの後ろめたさと恥ずかしさを、「私」に深く実感させるのだ。その実感こそが、誤った「大義」に殉じた死者たちを、真の意味で哀悼するための出発点となる。

＊

〈形而上の罪〉という存在論的感覚から出発しつつ、いかにして「復讐戦のかなた」を模索してゆけばよいのか？——「復讐の連鎖」に包囲された残酷な暗闇に、わずかに射しいる光をもとめて真摯な言葉をつむいだ三人の文学者——ヴァシーリイ・グロースマン、スヴェトラーナ・アレクシエーヴィチ、石牟礼道子——を導きの糸としよう。

復讐がさらなる苛烈な復讐を呼ぶ独ソ戦の最前線に立ちつづけ、祖国ソ連のための督戦記事を書く任務にあたりながら、グロースマンは「英雄」「加害者」「被害者」が絡まりあう戦争の実相を取材ノートに包み隠さず記した（アントニー・ビーヴァー『赤軍記者グロースマン　独ソ戦取材ノート1941-45』白水社）。たとえば、虐殺された家族や友人のために命がけで戦った赤軍の英雄たちの、ドイツ人女性にたいする集団レイプや解放されたソ連人女性にたいする暴行を彼は見逃さなかった。

ウクライナ解放のさい、三万人以上のユダヤ人が犠牲になったバビ・ヤールの大虐殺を知ったグロースマンは、「ユダヤ人」という分類をスターリンが嫌っているのを感知しつつ、ホロコーストについて精力的に取材をはじめた。彼が心がけたのは、可能なかぎり犠牲者個々のディテールを書きこむことで、彼らをたんなる数字への還元から救いだすことだった。一九四四年九月に発表された「トレブリンカの地獄」は、周到な欺騙（ぎへん）工作と残忍な暴力を駆使するSSが、いかにして数十万もの人びとから個性を剝（は）ぎとり膨大な数の死体の山に変えていったか、激しい怒りと深い悲しみの滲む文体で活写している。

　SS隊員はワルシャワ・ゲットーからやってきた人びとを、とくに嗜虐的にもてあそんだ。子連れの女性を選び出して、ガス室ではなく、死体焼却場へ連れていった。恐怖のあまり狂乱状態におちいった母親たちに、わが子の手を引いて灼熱した火格子のあいだを歩くよう強制した。そこでは数千の死体が炎と煙のなかで反（そ）り返り、生き返ったかのように動いたり身を曲げたり、妊婦のおなかが破裂して、開かれた子宮のなかで胎児が焼かれたりしている。どんな強靱な神経の持ち主でも、これを見たら正気を失わずにはいられまい。

　書かれた記録を読むことさえ、かぎりなくつらい。読者よ、信じていただきたい。これを書くのも、それにおとらずつらい。「なんでまた、そんなことを書いたり、思い出したりするのだ」とたずねる向きもあろう。おそるべき真実を語るのは作家の義務であり、それを知ることは読者の市民としての義務だ。顔をそむけ、目をふさいで通り過ぎる人は、死者の記憶を冒瀆するにひとしい。

ホロコーストの「おそるべき真実」を読む／書く行為についてまわる「かぎりないつらさ」。——グロースマンのこの〈形而上の罪〉の実感は、故郷の町ベルジーチェフを襲ったナチスによるユダヤ人虐殺から、なぜ母親を救いだせなかったのかという個人的な後ろめたさと結びついていた。母エカチェリーナに捧げた『人生と運命』の第一部18章に、グロースマンは、殺された母に憑依して彼女の心を再生させるしかたで、現実には届かなかった母からの手紙を書きつけている。有刺鉄線をめぐらせたゲットーに追いこまれ、自らの間近な死を予感している母は「幸せな日にもつらい日にも、母の愛はいつもお前とともにあることを、覚えていてください。誰もそれを打ち砕くことはできません」と息子にやさしく語りかけ、「生きて、生きて、いつまでも生きていてくださいね」という切なる祈りで手紙を閉じる。興味深いことに、『人生と運命』を書きあげた翌年に、グロースマンは自らが作中に記した架空の「母からの手紙」に、返事の手紙を書いている。

つまり、ぼくがあなたなのです。ぼくが生きているかぎり、あなたも生きています。ぼくがこの世にいなくなっても、ぼくがあなたにささげた本、あなたとそっくりの運命をたどった本のなかにあなたは生きつづけるのです。[*6]

母の死後、絶え間なくよみがえる彼女の声にじっと耳をすまし、母の苦しみに自分の苦しみを寄り添わせていったグロースマンは、すべてをそそいだ長篇小説のなかで母の声にたしかな生命をあたえ、自分が死んだあとも彼女の愛情は永遠に生きつづけると、二十年前に殺された母に時空を超えて語りかけている。書かれなかった手紙、届かなかった返事を介した母とのこの濃密な交感には、母の祈りと自分の祈りを縒(よ)り合わせることで、母と自分をともに新しく生かすこと、くりかえし生かしつづけることへの切実な希求があふれている。ホロコーストの犠牲者の一人として母が非業の死をとげ、しかし自分は生きていることに「かぎりないつらさ」を感じたグロースマンは、死者の苦しみの記憶に果てしなく応答しつづけることで、非道な迫害を解き放つ「復讐の連鎖」の永遠性に拮抗する、「もうひとつの永遠性」を素描している。

アレクシエーヴィチの『戦争は女の顔をしていない』も、『人生と運命』同様、ペレストロイカ以前のソ連では発表の道が閉ざされていた。検閲官の言葉を彼女は書きとめている。「これは、わが軍の兵士に対する、ヨーロッパの半分を解放したわが軍に対する中傷だ。わが国のパルチザン、わが英雄的国民にたいする中傷だ。あなたの小さな物語など必要ない、我々には大きな物語が要るんだ。勝利の物語が」――。

大きな物語は単数形(シンギュラー)しかもちえない。しかしアレクシエーヴィチの聞き書きする小さな物語の群れは、単数形(シンギュラー)ではけっして語りえない複数形(プルーラル)の力にみちている。どのエピソードも、どの語り口も、どの沈黙も、それぞれに異なる苦しみを伝え、それぞれに異なる角度から読む者の心を引き裂く。戦後生まれのアレクシエーヴィチは、彼女が知らない悲惨事を体験した女性たちの苦しみを一切の抽象をほどこさずにそのまま受けとめ、それぞれの相手にそれぞれに異なる沈黙の返事を送りつづけることで、体験者と非体験者がともに戦争の悲惨を生きなおし、記憶しなおす場をひらく。

アレクシエーヴィチの沈黙には、つねに〈形而上の罪〉の感覚がつきまとっている。戦争で一番恐ろしかったのは男物のパンツをはいていたことだと冗談めかしていう元二等兵が、四年戦ったあとにようやく女物の下着をもらえたと語ったとき、聞いていたアレクシエーヴィチは黙って涙を流す。彼女はこう書いている。

痛みに耳を澄ます……過ぎた日々の証言としての痛みに……そのほかの証言はない、それ以外の証言をわたしは信じない。言葉は幾度となくわたしたちを真実からはずれたところへ導きそうになった。

苦悩というのは、秘められた真実にもっとも直接関係をもつ高度の情報だと思う。それは生きているということの神秘に直接関わっている。

彼らが語るとき、わたしは耳を傾けている……彼らが沈黙しているとき、わたしは耳を傾けている……

彼らのすべて、言葉も沈黙も、わたしにとってはテキストだ。

大祖国戦争勝利の大きな物語に組み込まれたパヴリチェンコの回想録にも負けず劣らず、『戦争は女の顔をしていない』には、侵略者にたいする憎悪と復讐の念がたっぷりと沁みこんでいる。だがそのおびただしい数の証言が、それぞれに異なる「顔」を彷彿させる複数形（プルーラル）の力とともに私たちに訴えかけてくるのは、他者の苦しみの前で深く恥じいりつつ、ひたすら沈黙の返事を送りつづけるアレクシエーヴィチの試みが切り拓く、異なる者どうしが時空を超えて連帯する新たな共生の可能性だ。

『苦海浄土（くがいじょうど）　わが水俣病』（講談社文庫）で石牟礼道子は、水俣病の元兇である新日本窒素肥料が、戦前戦中にかけて大日本帝国の経済的尖兵として植民地朝鮮に進出し、化学コンビナート建設のため日本人警官の手を借りて当地の漁民たちを立ちのかせた史実に、朝鮮人労働者の強制連行や彼らの広島・長崎での被爆といった負の歴史と、現在進行形の水俣病の地獄とのあいだの隠されたつながりを見た。国家や大企業の暴力によって「死んでもいい人びと」におとしめられた長崎の朝鮮人被爆者の声を聞きとった石牟礼は、「菊とナガサキ　被爆朝鮮人の遺骨は黙したまま」（『朝日ジャーナル』一九六八年八月十一日号）に、彼らの証言を書きとめている（傍点原文）。

十六、七の娘の子が――。あんた、そそから胎の中のものをぶらさげて歩きよったとですよ。まっはだかで、すぐ死んだとやろ、あの娘は。妙な赤かきんたま下げてくるばいと思うてみたらおっぱいのふくらんどるけん娘の子じゃったとよ。親がみたらどけんおもうじゃろかいね。遠い朝鮮から連れられてきて。あの娘たちのことをどけんして調べられるとやろか。朝鮮の原爆の乙女のことは。ひとりも助かった娘はおらんとやろ。一万人あまりの朝鮮人が、じゅうっと、一ぺんに灼(や)けて死んだろ、あの収容所の下で。六千度の熱で。原爆の白書、どけんして調べるとやろか。一番うらみのふかいものはぜんぶ死んでしもうたとよ。

朝鮮人被爆者たちの切々たる語りを、石牟礼は「朝鮮民族によってみごとに意訳された長崎弁」と呼ぶ。「意訳」の強調は、朝鮮語と長崎弁という二つの「マイナー言語」の交差によって、オーソライズされた日本語という「メジャー言語」が内側から揺さぶられることを示唆している。幾重にも「半人間」化された朝鮮人被爆者たちの苦しみと復讐心を克明に記しながら、石牟礼は、ひとことも朝鮮の言葉を語ることのできない自らの「無」に深く恥じいり、涙を流しながら「身内のふるえ」に無言で堪えつづける。眼前で悶え苦しむ水俣病患者にたいする存在論的な恥ずかしさに衝き動かされた石牟礼は、言葉をむしりとられたサバルタンたちの多様な失語を、国境線のかなたに、歴史の深奥に、「メジャー言語」をゆるがす「マイナー言語」の複数形(プルーラル)にさぐってゆくのだ。

暴力に踏みにじられた人びとと、そしてその憎悪や復讐心と間近に向きあいつつも、彼らを安易に「理解」しようとはせず、彼らの語りを沈黙もろともそのまま受けとめ、苦しげなその祈りに自らも苦しみつつ祈りを寄り添わせてゆくこと。――グロースマン、アレクシエーヴィチ、石牟礼らのそうした実践にこそ、私たちの「平和主義」の未来を見なければならない。アジアと太平洋の十五年にわたる大戦争で、他国にも自国にもとほうもない害悪をもたらしつつ敗れ去った日本は、もとよりけっして「平和主義」を手放すべきではない。だが本書がここまで追究してきたように、戦後日本は、アメリカの庇護下でカネとセキュリティを得るために、苦痛を訴える内外の切実な叫びに耳をふさいだまま、身勝手なタテマエに堕した「平和主義」を冷戦の箱庭の片隅で弄(もてあそ)んできた。ソ連崩壊後、野放図なグローバリゼーションと多元的な価値のアリーナに投げこまれた日本から、一夜の淫夢のごとくカネとセキュリティが蒸発したいま、戦後版「平和主義」の失効は誰の眼にもあきらかだ。とはいえ、中国の脅威を叫んでさらなる対米追従にのめりこみつつ、巨費を投じて軍事大国化するという現政権の方針は、トランプを大統領に選ぶアメリカという国が、真の有事のさいになにをどう決断するか日本にわかるわけがない以上、軍拡競争になれば国力で大差をつけられた中国に日本が完敗するのは必至である以上、[*7]中国やロシアや北朝鮮といった核保有国の近所から島ごと引っ越しすることができない以上、軍事力に対抗するには軍事力しかないという発想こそが戦争の火種となってきた歴史がある以上、そして多種多様な人びとの復讐心に火をつけてまわりつつも、それを無視／抑圧することでカネもうけに走った

「半国家」に真の同盟者など期待しえない以上、愚かな選択だといわざるをえない。

私たちは、だから、新しい「平和主義」をうちたてねばならない。それは、一方で自らの侵略戦争と経済的搾取がアジア（沖縄を含む）に「復讐の連鎖」をばらまいてきた歴史を直視し、他方で戦後日本が行ってきた「復讐の抑圧」を真摯に反省しつつ、テロや戦争の母胎である「復讐の連鎖」のかなたに、一条の微光をさぐってゆく粘り強い実践であるべきだ。〈形而上の罪〉の感覚を基点とし、他者の声にならぬ苦しみを自らの心身でそのまま受けとめ、彼らの祈りに長い時間をかけて自らの祈りを寄り添わせてゆくことで、永遠の復讐戦に抗う「もうひとつの永遠性」の可能性を描きだす営みであるべきだ。

そもそも日本国憲法に書きこまれた「平和主義」は、そうした試行錯誤の果てしないプロセスを指していたのではなかったか。だが私たちは、憲法とその「平和主義」をユートピアとして現実から切り離したうえで、押しつけだと非難したり自主的な選択だと反論したり、リアリティを欠いた空論だと蔑んだりカント的な統制的理念だと称えたりといった神学論争で時間を空費してきた。その空虚につけこんだ第二次安倍政権は閣議決定による解釈改憲という裏技で集団的自衛権をなし崩しに導入し、彼の遺志を継ぐと称する岸田政権は、安倍の銃殺とウクライナ戦争を奇貨としつつ、敵基地の先制攻撃は専守防衛の範囲内だと恥知らずにもいいはなち、財源のあてのない防衛費倍増に突っ走ることで、「復讐の連鎖」の泥沼に頭からダイヴしようとしている。

おそらく、日本国憲法を一つの「答」として固定的にとらえ、それが「正答」か「誤答」かを論断しようとする態度が、これらすべてのカオスを生んでいるのだ。敗戦のどさくさのさなか、多様な力の角逐によって偶発的に誕生した日本国憲法は、現実／歴史の外部に書きこまれた必然的な「答」ではありえない。それは、「こうではなくて他でもありえた」という偶有性を自らの本質としているからこそ、偶有性にみちた現実／歴史にたいするアクチュアルな「問いかけ」として機能する。いま必要なのは、帝国主義的拡大が未曽有の壊滅的敗北に直結したという日本の近現代史の特殊性を、「こうではなくて他でもありえた」という偶有性の相のもとでふりかえり、その屈折した歴史を「復讐戦のかなた」を翹望（ぎょうぼう）する新たな「平和主義」の普遍性に接続してゆくことであり、その実践を主導する「問いかけ」として日本国憲法を不断に読みかえてゆくことなのだ。

「復讐の連鎖」が荒れ狂う現代世界の現実を、自らがかつてパンドラの箱をあけた負の歴史を含めて直視しつつ、「復讐戦のかなた」をまなざす「問いかけ」として日本国憲法をとらえかえし、普遍性（理念）と特殊性（歴史）の固有の構成に根ざした新たな「平和主義」を構想してゆく——。

そこにこそ私たちの、私たちが生きるこの残酷な世界の、希望がある。

＊1　安倍元首相が銃殺された翌月に発売された右派論壇誌を見ると、『正論』（産経新聞社）は「安倍晋三の遺志を継げ」、『月刊WiLL』（ワック）は「安倍総理ありがとう！」、『月刊Hanada』（飛鳥新社）は「安倍晋三元総理追悼大特集号」と背や表紙に大書している。安倍を神格化し、「美しい日本」のために斃（たお）れた殉職者と称える論者たちは、一方で彼を殺した山上についてはぴたりと口を閉ざしている。これはよく考えると不思議なことだ。「日本の誇り」（櫻井よしこ）「日本の救世主」（八木秀次）「日本の宝」（佐々木類）が奪われたと嘆きながら、彼らはその「誇り」「救世主」「宝」を暴力的に奪った者にたいする復讐心をまったくもっていないように見えるからだ。真に敬愛する者が、事故や災害などではなく誰かの意図的な犯罪行為によって殺されたとき、人は憎しみを抱かずにいられるだろうか？逆にいえば、犯人にまったく復讐心を抱かない者は、被害者のことを本当には愛していなかったのではなかろうか？　殺人犯にたいして放たれる「死刑にしてください」という遺族の復讐の叫び――永山則夫の『無知の涙』（河出文庫）にも、法廷でその声を浴びせられて動揺する永山の心境が綴られている――が私に刺さるのは、死刑は廃止すべきだと理性では結論していながらも、そうした叫びが殺された者への痛切な愛情を痙攣的に表現していると身に沁みてわかるからだ。中国や北朝鮮の度重なる「挑発」や、従軍慰安婦や徴用工をめぐる韓国の「言いがかり」にたいする憎しみを安倍ともども国民に煽りつづけてきた右派の論客に、「救世主」を殺した者への復讐心がカケラも見えないのは、いったいどういうことなのか。同様に、自民党安倍派など安倍に近かった議員たちにも、山上、あるいは山上の怨念を焚（た）きつけた統一教会への復讐心を抱いている者は一人として見当たらない。むしろ彼らは、自らの背を焼

く統一教会の「原罪」から逃れるために、「死人に口なし」とばかり、最も事情を知る当事者がこの世からいなくなった状況をまんまと利用しているようにすら見える。「国葬」とは自分たちの「原罪」を「原父」もろとも葬るための儀式だったのか。こうした事態は、彼ら自民党保守派が、そしてその支持者たちが、安倍元首相を本当には愛していなかったこと、そして心から追悼などしてはいないことを端的に示しているのではないか。

＊2　元米陸軍中佐のデーヴ・グロスマンは『戦争における「人殺し」の心理学』（ちくま学芸文庫）で、第二次世界大戦に参加した兵士たちにインタビューしたマーシャル准将の、敵前での兵士の発砲率がわずか十五〜二十パーセントだったという報告を基に、人間が人間を殺すことへの激しい抵抗感を強調する。そしてそのレートが朝鮮戦争では五十五パーセントに、ベトナム戦争ではじつに九十〜九十五パーセントにまで上昇したのは、敵の人間性を否定して「殺してもいい者」「殺すべき者」と蔑む「脱感作」や、戦場の状況をリアルに模したトレーニングを反復して条件反射的に敵を撃てるようにする「条件づけ」といった非人間的な訓練を米軍が兵士たちに徹底したことによると主張している。マーシャルやグロスマンのデータにどこまで信憑性があるかは留保が必要だとはいえ、兵士が躊躇なく敵を撃つためには、まずは相手を「半／反人間化」するプロセスが不可欠だという主張は否みがたい。

＊3　カンヌ国際映画祭でグランプリを、アカデミー賞で外国語映画賞を受賞した『サウルの息子』（ネメシュ・ラースロー監督　二〇一五年）は、ハンガリー出身のユダヤ人サウルが主人公だ。アウシュヴィッツで特別部隊（ゾンダーコマンド）の一員としてガス室の後始末をしていたさい、ある少年の死体を自分の息子の遺体だ

と思いこんだサウルは、ユダヤ教に則した埋葬を施すため、絶滅マシーンのまっただなかで絶望的な努力を開始する。――この映画の特徴は、スタンダードサイズの狭い画角のなかでサウルと彼の周囲だけにピントが合わされ、その外部はずっとピンぼけのままストーリーが進行してゆく点にある。異様なテンションをはらむこの演出は、特別部隊（ゾンダーコマンド）という「悪魔の発明」の本質を的確にとらえている。同胞であるユダヤ人の大量虐殺はサウルのすぐ隣りで行われているが、それがピンぼけで隠されていることは、それを眼にしながらも見てはいないサウルの心の激しいねじれを示している。同胞を絶滅しようとする敵を幇助することでわずかに生きながらえることがゆるされた特別部隊（ゾンダーコマンド）は、敵／味方のクリアーな境界線を消去されることで、ピンぼけした世界に生きざるをえなくなるといってよい。だが重要なのは、ピンぼけにされた大量虐殺は、サウルだけでなく私たちにも見えなくなっているということだ。大量虐殺を目のあたりにしながら、それを見ていないというサウルの特別部隊（ゾンダーコマンド）的なピンぼけの世界を、映画を観る私たちも共有しているのだ。このことは、ピンぼけした世界は絶滅収容所だけではないという厳しいメッセージを私たちに突きつける。収容所外の社会においても、差別や迫害がなされながら敵／味方の境界線がむりやり消去され、虐げられた者の憎悪や復讐心が奪われるところでは、いたるところにピンぼけの世界がひろがっているのだ。たとえば、「合意の上の性交だった」という認定を押しつけられることでレイピストにたいする憎しみを強奪された被害者の苦しみを思ってみればよい。『サウルの息子』の異様なまでの「見にくさ」は、そうした苦しみを直視することの困難さをアレゴリカルに表現している。

＊4　四つの〈罪〉の関係を、以下のように整理しておこう。

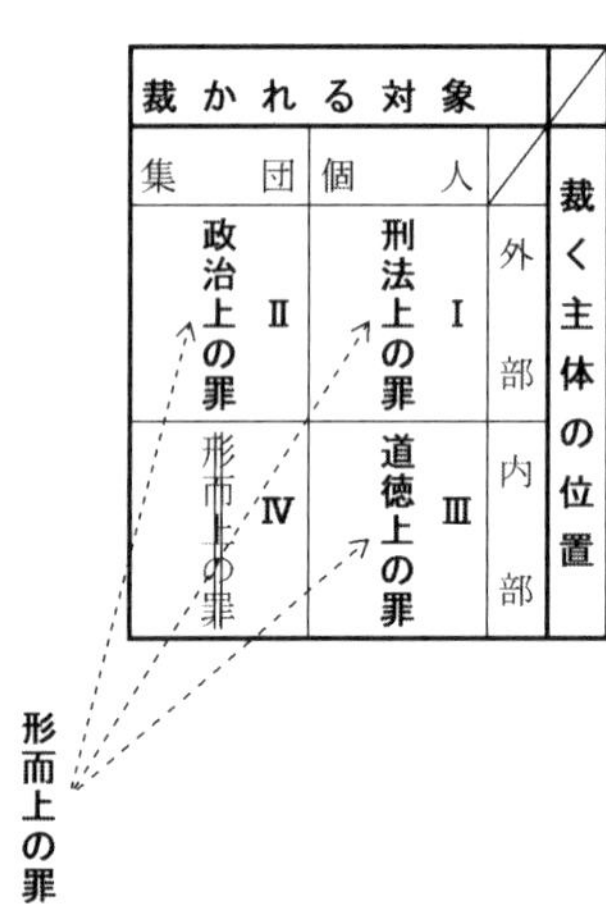

護憲リベラルが退潮した原因を、このマトリックスに即して説明することができる。『日本人の戦争観』で吉田裕が指摘する「戦後日本のダブルスタンダード」とは、国外的にはサンフランシスコ講和条約を受けいれることで最小限の戦争責任を認めつつ、国内的にはそれを可能なかぎり否認するというものだ。このダブルスタンダードを奉じる保守改憲派は、ヤスパースの分類でいえば〈刑法上の罪〉は東京裁判で決着ずみであり、〈道徳上の罪〉はアジア解放の「大義」で相殺されるとする。そして〈政治上の罪〉はアメリカにたいしてのみ認めればよいのだから——サンフランシスコ講和条約からアジアがオミットされていたことを思いだそう——、アメリカの国益に沿うと想定される線で憲法を改正すること

は、なんの問題もないことになる。身勝手だがそれなりに首尾一貫しているこのロジックに対抗するには、第四の罪である〈形而上の罪〉に依拠するほかはない。だが護憲リベラルは、日本の戦争責任を、日本人というフレームの内部で、しかも良心／内面の問題としてとらえたため、すなわち〈個人⇕集団〉〈外部⇕内部〉の二軸を交差させて描いた右図のⅣに限定して考えたため、保守派が依拠するマトリックスを内破させるどころか、むしろそれを補完する一項に自ら甘んじることになった。その結果、冷戦というタガがはずれたとたんに彼らの「平和主義」は国際性を欠く感情的なスローガンに堕し、外部からの現実的脅威を強調して集団的安全保障の必要性を説く保守改憲派のなし崩しの勢力拡大をまねくこととなった。

＊5　『復讐者たち』に登場した三人の復讐者に即して、こういってもよい（第二章を参照）。妻子をナチスに殺されたマックスの私的な復讐心は、相手に〈刑法上の罪〉〈道徳上の罪〉の責任をとらせることで解消される可能性がある。敵／味方の分割を前提にしたミハイルのナショナルな復讐心は、〈道徳上の罪〉〈政治上の罪〉に基づく「償い」によって解消される可能性がある。だが、人類の普遍性を特殊なカテゴリーで充塡しようとする――ヒトラーにとってのアーリア人、プーチンにとってのロシア人、アッバにとってのユダヤ人犠牲者――ファシスト的復讐心を解毒できるのは、他の三つの罪すべての基礎となる〈形而上の罪〉の感覚だけである。ニュルンベルク裁判でナチスを裁くために導入された「人道に対する罪」は、したがって〈形而上の罪〉にこそ立脚すべきだったが、原爆を投下したアメリカ、ハンブルクやドレスデンを無差別爆撃したイギリス、自国民やポーランド人らを大量虐殺したソ連が裁判官

の座に臆面もなく連なることで、かえって戦勝国への復讐心を煽る口実になってしまった。

＊6　戦後、スターリンの猜疑心がユダヤ人にむけられたことによって、ユダヤ系のグロースマンは窮地に陥る。スターリングラード戦を核に独ソ戦を描いた畢生の大作『人生と運命』は、ナチズムだけでなくスターリニズムの悪をも暴きだし、大祖国戦争の神話を根底からくつがえすラディカルさが問題視され、原稿を押収した当局によって今後二百年は発表を禁じると「死刑宣告」された。奇蹟的に残っていた原稿コピーのマイクロフィルムがスイスへひそかに持ちだされ、ようやく作品が日の目を見たのは、失意のうちにグロースマンが亡くなってから二十年近く経ったのちだった。

＊7　防衛研究所防衛政策研究室長の高橋杉雄は、『現代戦略論　大国間競争時代の安全保障』（並木書房）で、中国による台湾侵攻のさい、日本が米国と協力しつつどのような戦略をとるべきかを詳細に分析している。高橋の「統合海洋縦深防衛戦略」の骨子は以下である。①中国がその広大な国土に大量に保有しているミサイルを一挙に無力化することは至難である。②したがって戦争初期に台湾軍／日本の自衛隊が航空優勢を得ることはできず、戦況は不利にならざるをえない。③しかしミサイルと航空戦力だけでは台湾を軍事的に占領できない以上、中国は第二段階として上陸作戦を行わざるをえない。④上陸部隊や装備を積載して台湾海峡を渡る中国艦艇に、自衛隊が飽和攻撃（防空艦の対艦ミサイル処理能力を超える数のミサイルを同時に発射する）をかけ、敵艦もろとも敵部隊を海上で撃滅することで、中国軍の台湾上陸を阻止あるいは遷延させる。⑤米軍の戦力が台湾周辺に集結し、パワーバランスが逆転するまで、④によって戦局を膠着させる。――この「セオリー・オブ・ビクトリー」は該博な軍事的知

見に裏打ちされた説得力のあるものだ。ただし、高橋が前提とするのは「攻者三倍の法則」、すなわち攻撃側の対防御側戦力比が三対一を上回れば攻撃側が、下回れば防御側が有利になるという軍事上の常識である。したがって高橋は、中国の国防費の三分の一以上を日本が防衛費にあて、それらをミサイル防衛能力や宇宙・サイバー・電磁波能力を中心に的確に配分することが必要だとし、その観点から見て、現政権が打ちだす十兆円（ＧＤＰの二パーセント相当）の防衛予算を妥当としている。だが、中国の経済成長と日本のそれの圧倒的な格差、また国民の声を気にせず優先課題を追求できる中国の権威主義体制と、国民生活に配慮せざるをえない日本の民主主義体制の違いを鑑みるに、三対一の比率をいつまで維持できるのか疑問が残る。十兆円で足りなくなったら防衛費をさらに増額するといった軍拡競争に、もはや経済的余力を失った日本が耐えられないことは自明だろう。

まだ見ぬ「平和論」へ　――あとがきにかえて

二〇二二年は、二つの巨大な黒点を歴史に穿った年として、長く記憶されつづけるにちがいない。二つの黒点とは、二月二十四日にはじまったプーチン率いるロシア軍によるウクライナへの侵略戦争と、七月八日の街頭演説中に安倍晋三元首相が衆人環視のなかで銃殺された事件である。

その前年の二〇二一年に、大江健三郎やジョージ・オーウェル、大岡昇平やジョナサン・リテルらの作品の分析を介して、「暴力」というモンスターのはらわたを抉りだそうと企図した『暴力論』（講談社）を上梓していた私にとって、半年にみたぬ間につづけざまに起こった二つの巨大なテロルは、けっしてやりすごすことのできない出来事だった。ウクライナ戦争と安倍元首相銃殺について、もしなにも書かないなら、もしなにも書けないなら、今後自分が物を書く意味などない。――そういったやむにやまれぬ思いで二つの黒点を凝視しつづけるうち、私の眼には、両者をつなぐ線が浮かびあがってきた。

第二次世界大戦の壊滅的な敗北から八十年近く、日本人は「戦後」と呼ばれる時代を生きてきた。だが、これだけ長期間にわたって「戦後」の呼称が延命してきた事実は、逆説的に、日本社会が「敗戦」をいまだ消化しきれていないことを、したがってある意味で「戦争」状態を引きずっていることを暗示している。平和国家を謳ってきたはずの戦後日本において、「戦争と平和」は独特なねじれに蝕まれており、そこから生じた陥穽が、ウクライナ戦争と安倍元首相銃殺事件へむけるまなざしを、ブラックホールの重力にねじ曲げられた光のごとく歪ませているのではないか？……

本書の軸線をそこに見さだめた私にとり、二〇二二年にあいついで生じた二つのテロルについてどう考えるべきか、ぜひとも意見を聞いてみたい批評家がいた。二〇一九年に亡くなった加藤典洋さんである。読んでくださった方には一目瞭然と思うが、本書は、デビュー作『アメリカの影』から遺著の『9条の戦後史』にいたるまで、「戦後日本」の歪みがもたらす問題を粘り強く考察しつづけた加藤さんの仕事に深く触発されている。たとえば第三章の議論は、大澤真幸さんとの対談（大澤真幸編『憲法9条とわれらが日本　未来世代へ手渡す』筑摩選書）での、「日本がアジア諸国に謝罪ができないのは、自分自身が相手に謝罪を請求できないからではないでしょうか。「自分たちは二度も原爆を落とされたけれど、アメリカに対して謝罪を求めていない」。そのことが、横滑りして、「だから、こちらにも謝罪を求めないでくれ」になってしまっている。ですが、アメリカにきちんと謝罪を求めていれば、「アメリカに謝罪を求めたのだから、かつて自分たちがアジア諸国にしたことにも、きちんと謝らなくては」となるはずです」という彼の発言への私なりの応答にほかならない。

じつは生前、加藤さんにはいちどだけお目にかかったことがある。私の職場に講演をしに来られた加藤さんと、わずかな時間だが言葉をかわす機会があった。一九四二年のハイドリヒ暗殺作戦を巧みな構成のもとに描いたローラン・ビネの『HHhH』を加藤さんも高く評価していることを知り、私は自分のデビュー作「ケセルの想像力」（『群像』二〇一五年十一月号）で批評した、SS将校がホロコーストの実相をモノローグで語る『慈しみの女神たち』の文体について話した。「それは読まなきゃいけないな」と身をのりだした加藤さんに、「ぜひ」と応じたところで、あいにく時間切れとなってしまったのだが。……

もう少し時間があれば、加藤さんと議論してみたいことがあった。つねに大胆な問題提起をともなった彼の著作のなかでも、とりわけポレミックな『敗戦後論』（一九九七年）についてである。この論考が『群像』誌上に掲載されるやいなや四方八方から沸きあがった批判の嵐のなかで、当時二十代だった私も護憲リベラルの尻馬に乗り、加藤さんを右翼ナショナリズムの走狗と安直に決めつけた。その近視眼的な評価が、〈護憲⇕改憲〉〈左翼⇕右翼〉という、冷戦の崩壊後も島国日本でガラパゴス的に生き延びていた戦後的フレームを無批判に踏襲したものにすぎないこと、そして加藤さんのもくろみがそうしたフレームの自明性を疑い、脱構築するところにあったということに気づいたのは、世紀が転換し、とっくの昔に根太から腐っていたそのフレームの崩壊が誰の眼にもあきらかになったのちだった。

そのインパクトあふれる先見性を認めつつも、私はやはり、『敗戦後論』には大きな問題があると考えている。もちろん、発表当初にこの書物に投げつけられた、護憲リベラル勢力による魔女狩り的な「右派ナショナリスト」批判や、「想像の共同体」論をかさにきたアカデミズムからの「国家の実体視」への揶揄や、ジキルとハイドという二重人格を国家に擬することへの上から目線の嘲笑などは、先に見た本書の射程をまったく見誤った愚かしい言いがかりにすぎない。そうした独善的な悪口雑言とは異なり、私が加藤さんに問い質したかったのは、ヤスパースの『責罪論』を高く評価しながらも——第三章におけるヤスパースの〈形而上の罪〉への注目は、加藤典洋と大澤真幸からの学びが直接に反映している——、『敗戦後論』の議論はヤスパースの理路を踏み外しているのではないか、という疑念だった。第三章の元になった原稿が『群像』に掲載されたとき、私は亡き加藤さんに質問状を送るつもりで、長い註を書きつけた。単行本化にさいし、読者の読みやすさを考慮して多くの註をカットしたが、これだけは以下に再掲しておく。

『敗戦後論』（講談社）で加藤典洋は戦後日本の「ねじれ」について考察した。それによれば、「改憲派」はアメリカの押しつけ憲法を批判しつつもアメリカに全面的に従属し、「護憲派」は対米自立を訴えながらもアメリカが作った憲法にイデオロギー的に依拠するという、左右双方に内在する「ねじれ」が日本の国家としての主体形成を妨げている。その「ねじれ」を解消するために、まずは誤った「大義」に殉じた自国の死者たちを追悼することで汚れた過去と現在をつなぐ主体を立ちあげ、そのうえでアジアの死者たちに謝罪すべきだ。──加藤のこの議論は、主として左派護憲勢力から激しく非難された。その代表者である高橋哲哉は『戦後責任論』（講談社）で、自国の死者を追悼することで国家主体を立ちあげるという発想は、靖国に「英霊」を祀る自国中心的なナショナリズムと選ぶところがなく、加藤に欠けているのは、アジアの死者たちを前に恥じいりつづけることではじめて謝罪の主体が出現するというレヴィナス的洞察だと批判した。この「歴史主体性論争」について簡潔に私見を述べておこう。加藤はヤスパースの『責罪論』を高く評価し、邦訳に解説を寄せているが、個人的責任にかかわる〈刑法上の罪〉〈道徳上の罪〉と集団的責任にかかわる〈政治上の罪〉を概念的に区別していない。それゆえ加藤は、日本の戦死者たちも生前に大日本帝国の体制を支えていた以上、〈政治上の罪〉の責めを負わねばならず、したがって日本は自国の死者の追悼よりもアジアへの償いを優先すべきだという理路を見失っている。また、誤った「大義」に殉じた自国の死者にたいする追悼は、〈形而上の罪〉という存在論的な感覚を出発点とすべきだが、加藤のいう「追悼」の内実は曖昧に暈かされている。その曖昧さを高橋は靖国信奉者と重ねあわせて批判したわけだが、高橋の側も、〈政治上の罪〉のレベルではアジアへの謝罪が優先されるべきだが、〈形而上の罪〉においては死者たちのあいだに、より広くいえば戦争の犠牲になったすべての存在のあいだに優先順位はないということを見落としている。結果として高橋は、加藤との論争を、たんに自国の死者の追悼が先かアジアの死者の追悼が先かという「先後問題」に矮小化してしまった。そこでスルーされたのは、日本は対外的には主権をアメリカにゆずりわたした「半国家」でありながら、対内的にはその事実を否認しつづけているという加藤の鋭い問題提起である。両者に内在するこうした「ねじれ」が論争を不毛なものとした要因だ。——ただ、ヤスパースの〈四つの罪〉の区別は重要だが、疑問が残らないわけではない。ヤスパースは、敗戦国である以上、戦勝国の法に服し〈政治上の罪〉を負わねばならないという。しかし、ヒトラーが戦争に勝つ可能性もあった。連合軍がヒトラーの軍隊を打倒した原因はいくらでも数えあげられるが、しかし根底において、その勝利が歴史におけるさまざまな偶然に依拠していることを否定しさることはできまい。ドイツの敗北が必然だったように見えるのは、現在から過去をふりかえることで、歴史の襞に散種された多様な偶有性が切り落とされるからだ。ヤスパースの立論では、ヒトラーが勝っていたらドイツは戦争犯罪の責任をまぬかれたという話になりかねない。それは、人種間の生存競争の勝者だけが世界の秩序を創出するというヒトラーの世界観や、戦勝国の捏造だとしてホロコーストを否定する悪しき歴史修正主義に接近する危険をはらんでいる。戦争責任について、勝敗とは異なる軸を構想する必要がある。

だが、もし加藤さんが生きていたなら、私のこうした批判を受けとめたうえで、おそらくこう問い返してくるのではないか。「君の『戦争論』は、「新たな平和主義を構想せよ」と大上段にふりかぶるが、ふりかぶるだけで、けっきょくその「平和主義」の内実を示していないじゃないか。ぼくは『戦後入門』や『9条入門』でその問題に取りくんだつもりだ。君は君のいう「平和主義」を、どんなものだと考えているんだ？」――

私は前著『暴力論』で、外部から押しよせる敵と内部にひそむ敵に両側から包囲されるという「被包囲強迫」が、エスカレートする暴力の根幹にあると指摘した。今回の『戦争論』で私は、「復讐の無限の連鎖」がヒトラーやプーチンの非道な侵略戦争と核兵器をめぐる思考を貫通するイデオロギーだと主張している。だが、どうすれば「被包囲強迫」や「復讐の無限の連鎖」の罠から脱けだせるのか？　という重要な論点については、両書ともに十分な考察を尽くさぬまま、ラフなスケッチを描いただけに終わっている。先に、ウクライナ戦争と安倍元首相銃殺について書かないなら、批評家として自分が物を書く意味などない、と書いた。同様に、『暴力論』『戦争論』につづく『平和論』を書くことなしには、私が物を書く意味などない。

しかし、「平和」とは思考困難なテーマだ。「戦争」を主題とする文学や映画、批評文や哲学書は山のようにある。だが「平和」をテーマにした芸術や思想はあるだろうか？「戦争」はエキサイティングだが、「平和」はタイクツだ。こうした浅薄な理由だけではない。「戦争」は万人の眼を撃つ巨大な悲惨事である。しかし「平和」は、いわば「空気」のような非－出来事にすぎず、つかまえようと伸ばした手からつねに逃れゆく仮想のエーテルに似ている。

こういってもよい。私たちは「戦争」を経験することができるし、じっさい不断に経験してもいる。だが、「平和」の経験とはなんだろう？ そもそも私たちは真に「平和」を経験したことがあるだろうか？「戦争」と「平和」の複雑なもつれあいと両者の非対称性を描いたトルストイの『戦争と平和』を、私たちは古典中の古典として崇め奉りつつも根本的に誤読し、「平和」の中身を考えぬくことのないままタイトルのみを皮相に受けとめ、「戦争がない状態＝平和」という空疎な定義をくだして自足してきたのではないか？ だが、戦後日本が「戦争がない状態」としての「平和」を享受してきたなどというフィクションを信じつづけることは、もはやゆるされない。本書で論じたように、戦後日本は自らのカネとセキュリティのため、いわば「戦争」を外部にアウトソーシングすることで「平和」を購ってきた。そしてもはや「戦争」のアウトソーシングが不可能になった現代の日本において、私たちがいかなる「平和」を構想すべきなのかは、まったくの闇に閉ざされている。——私は、本書で二〇二二年を黒く染めぬいた二つのテロルに取りくんだのと同様のやむにやまれぬ決意とともに、まだ朧ろなかたちすら見えていないこの難題に立ちむかってゆく覚悟をかためている。

最後に謝辞を。本書の元になる原稿を最初に読んでくださったのは、『群像』編集長の戸井武史さんだ。戸井さんは拙論の問題点を指摘したうえで、書きあらためた原稿を『群像』に連載することを提案してくださった。連載時にお世話になったのは、『群像』編集部の北村文乃さん。北村さんには論全体の構成から、細部の問題にいたるまでいくつも的確なアドバイスをいただいた。単行本化にさいしては、『暴力論』につづいて講談社文芸第一出版部の松沢賢二さんに担当いただいた。もし本書が少しでも読みやすいものになっているとすれば、連載時に付していた多くの註をゼロベースで見直すことを提案してくれた松沢さんのおかげである。

生きているという確かな実感を、日々の暮らしのなかで私にあたえつづけてくれる家族にも感謝したい。「平和」とは、私たちの日常の暮らしに眼に見えない豊かさを惜しみなくもたらす、こうした生の実感とつながっているにちがいない。

二〇二三年六月　京都にて　　高原　到

初出　「群像」二〇二三年一・三・五月号

高原 到（たかはら・いたる）
1968年、千葉県生まれ。京都大学文学部社会学科卒業。2015年、「ケセルの想像力」で第59回群像新人評論賞優秀作を受賞してデビュー。以降、「戦争の『現在形』――七〇年代生まれの作家たちの戦争小説」、「失われた『戦争』を求めて――中上健次と村上春樹」、「日本近代戦争の起源と終焉――『肉弾』から『特攻』へ」（以上、『群像』掲載）他、文芸誌を中心に旺盛な批評活動を続ける。著書に『暴力論』（2021年）がある。

戦争論（せんそうろん）

二〇二三年八月二四日　第一刷発行

著者　高原 到（たかはら いたる）
発行者　髙橋明男
発行所　株式会社講談社
〒一一二―八〇〇一　東京都文京区音羽二―一二―二一
出版　〇三―五三九五―三五〇四
販売　〇三―五三九五―五八一七
業務　〇三―五三九五―三六一五

印刷所　凸版印刷株式会社
製本所　株式会社若林製本工場

定価はカバーに表示してあります。

ISBN978-4-06-532682-4　Printed in Japan

KODANSHA